Taschenbücher zur Musikwissenschaft
Herausgegeben von Richard Schaal

39

Heinrichshofen's Verlag
Wilhelmshaven

OTTO HAMBURG

Musikgeschichte in Beispielen

Von der Antike bis Johann Sebastian Bach

Unter Mitarbeit von
MARGARETHA LANDWEHR VON PRAGENAU

Heinrichshofen's Verlag
Wilhelmshaven

©1976
Holländische Originalausgabe
Copyright 1973
by Uitgeverij Het Spectrum, Utrecht
Lizenzausgabe
mit freundlicher Genehmigung
Deutsche Bearbeitung Copyright 1976
by Heinrichshofen's Verlag
Wilhelmshaven - Locarno - Amsterdam
Alle Rechte,
auch das der photomechanischen Wiedergabe, vorbehalten
All rights reserved
Gesamtherstellung: Heinrichshofen's Druck, Wilhelmshaven
Printed in Germany
ISBN 3-7959-0191-X
Bestell-Nr. 12/191

INHALTSVERZEICHNIS
Die kursiven Ziffern weisen auf die Erläuterungstexte

VORWORT

Dieses Buch ist eine Beispielsammlung zur Musikgeschichte. Musikgeschichtsbücher müssen sich in der Regel aus Platzmangel auf ein Minimum an Beispielen beschränken und bringen in den meisten Fällen nur Ausschnitte aus Werken, die einen Stilwandel etc. verdeutlichen. Es gibt sogar solche ohne ein einziges Notenbeispiel. — Da aber die Geschichte der Musik die Entwicklung einer tönenden Materie behandelt, die sich nicht allein mit Worten beschreiben läßt, ist die Wiedergabe von Kompositionen für das Studium der Musikgeschichte ebenso wichtig wie z.Bsp. Abbildungen für das der Kunstgeschichte. Hier wie dort gilt es nach Möglichkeit, Beispiele vollständig zu reproduzieren. Bei größeren musikalischen Werken wie Opern, Oratorien, Kantaten ist das schlechterdings nicht möglich und man wird mit einem in sich geschlossenen repräsentativen Ausschnitt vorlieb nehmen müssen. Veröffentlichungen dieser Art, die ausgezeichnete Beispiele von den griechischen bzw. fernöstlichen Anfängen bis zu Mozart enthalten, sind bereits erschienen. Die wichtigsten davon sind am Ende des Buches im Abkürzungsverzeichnis erwähnt. Aus der Historical Anthology of Music von Davison-Apel wurden mit Erlaubnis der Harvard University Press einige Beispiele in die vorliegende Sammlung übernommen. Für weitere Studien sind die genannten Ausgaben natürlich unentbehrlich; zur Orientierung für Studierende und Musikinteressierte sind sie allerdings meist unhandlich und zu teuer. Die vorliegende Beispielsammlung ist also für ein breites Publikum gedacht. Sie beschränkt sich auf Europa und die Zeit von den Anfängen musikalischer Notierung bei den Griechen bis Johann Sebastian Bach. Dieser selbst ist mit Beispielen nicht mehr vertreten, nur zum Vergleich mit anderen Werken sind zwei Kompositionen herangezogen worden.

Im Anschluß an die Musikbeispiele sind kurze Erläuterungen zu den Stücken und Hinweise auf weiteres Studienmaterial gegeben. Über aufführungspraktische Fragen orientiert BHdb. 13. Neue Literatur zu allen Sparten der Musikwissenschaft wird seit 1967 laufend in RILM angegeben. Möge dieses Buch mit seinen fast 100 Beispielen sowohl Studenten als auch Musikfreunden ein nützlicher Begleiter sein.

Zum Schluß möchte ich Frau Dr. Landwehr von Pragenau aufrichtigst dafür danken, daß sie es auf sich genommen hat, die deutsche Ausgabe so kurzfristig und maßgebend zu redigieren.

OTTO HAMBURG

A. GRIECHISCHE MUSIK

1. Seikiloslied

Ὅ-σον ζῆς, φαί- νου μη-δὲν ὅ-λως σὺ-λυ- ποῦ,
Ho-son zes phai- nu me-den ho-los sy-ly- pu,

πρὸς ὀ-λί-γον ἐσ- τὶ τὸ ζῆν, τὸ τέ-λος ὁ χρό-νος ἀπ-αι- τεῖ.
pros o-li-gon es- ti to zen, to te-los ho chro-nos ap-ai- tei.

B. GREGORIANISCHER GESANG

2. Der 146. Psalm mit Antiphon

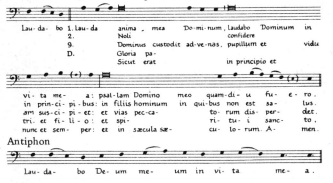

Lau-da- bo 1. lau-da anima mea Do-mi-num, laudabo Dominum in
2. Noli confidere
9. Dominus custodit ad-ve-nas, pupillum et vidu
D. Gloria pa-
Sicut erat in principio et

vi- ta me- a: psal-lam Domino meo quam-di- u fu- e- ro.
in prin-ci-pi-bus: in filiis hominum in qui-bus non est sa- lus.
am sus-ci-pi-et: et vias pec-ca- to-rum dis- per- det.
tri- et fi-li-o: et spi- ri- tu- i sanc- to,
nunc et sem- per: et in saecula sae- cu- lo-rum. A- men.

Antiphon

Lau-da- bo De- um me- um in vi- ta me- a.

3. Kyrie IV

I
Ky-ri- e e- le- i- son. 3x

II
Chri-ste e- le- i- son. 3x

III
Ky- ri- e e- le- i- son. 2x

Ky-ri- e e- le- i- son.

4. Kyrie-Tropus

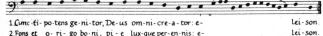

I
1. Cunc-ti-po-tens ge-ni-tor, De-us om-ni-cre-a-tor: e- lei-son.
2. Fons et o-ri-go bo-ni, pi-e lux-que per-en-nis: e- lei-son.
3. Sal-vi-fi-cet pi-e-tas tu-a nos, bo-ne rec-tor: e- lei-son.

9

II

1. Chri-ste, De-i, splen-dor, vir-tus pa-tris-que so-phi-a: e-   lei-son.
2. Chri-ste, pa-tris splen-dor, or-bis la-psi re-pa-ra-tor: e-   lei-son.
3. ne tu-a dam-ne-mur Je-su fac-tu-ra be-nig-ne: e-   lei-son.

III

1. Am-bo-rum sa-crum spi-ra-men ne-xus a-mor-que: e-   lei-son.
2. Pro-ce-dens fo-mes vi-tæ, fons pu-ri-fi-cans vis: e-   lei-son.

3. Pur-ga-tor cul-pæ, ve-ni-æ lar-gi-tor op-ti-me. of-fen-sas

de-le, sanc-to nos mu-ne-re re-ple: e-   lei-son.

5. Sequenz: Victimae paschali laudes

Wipo

I

Vi-cti-mæ pa-scha-li lau-des im-mo-lent Chri-sti-a-ni.

II

A-gnus re-de-mit o-ves: Chri-stus in-no-cens Pa-tri re-con-ci-
Mors et vi-ta du-el-lo con-fli-xe-re mi-ran-do: dux vi-tæ

li-a-vit pec-ca-to-res   Dic no-bis Ma-ri-a, quid vi-di-sti in vi-a?
mor-tu-us re-gnat vi-vus   An-ge-li-cos te-stes, su-da-ri-um et ve-stes.

Se-pul-crum Chri-sti vi-ven-tis, et glo-ri-am vi-di re-sur-gen-tis.
Sur-re-xit Chri-stus spes me-a: præ ce-det su-os in Gal-li-le-am.

IV

Sci-mus Chri-stum sur-re-xis-se a mor-tu-is ve-re: tu no-bis,

vi-ctor Rex, mi-se-re-re. A- men. Al-le-lu-ia.

C. TROUBADOURS UND TROUVÈRES

6. Kalenda maya

Raimbaut de Vaqueiras

Ka-len-da ma-ya Ni fuelhs de fa-ya Ni chanz d'au-zelh Ni flors de gla-ya Del vostre belh Cors,
Non es que m pla-ya, Pros dom-na gua-ya Tro qu'un y-snelh Mes-sa-tgier a-ya Pla-zer no-velh Qu'a

que m re-tra-ya.   E ja-ya Em tra-ya Vas vos, Dom-na ve-ra-ya;
mors má-   tra-ya, E cha-ya De pla-ya·L ge-los Ans   que m nés-tra-   ya.

7. Ja nus hons pris

Richard Löwenherz

1. Ja nus hons pris ne di-ra, sa rai-son A-droi-te-
2. Mais par ef-fort puet il fai-re chan-çon Mout ai a-

1. ment, se do-lan-te-ment non. 3. Hon-te i a-vront, se
2. mis, mais po-vre sunt li don.

3. por ma re-an-çon Sui ça deus y-vers pris.

8. Le Jeu de Robin et de Marion

Adam de la Halle

ROBIN

Ber-ge-ron-ne-te, dou-che bais-se-le-te, Don-nés le

moi vos-tre cha-pe-let, Don-nés le moi vos-tre cha-pe-

MARION

let Ro-bin, veux-tu que je le me-che, Seur ton chief par

ROBIN

a-mou-re-te? O-il, et vous se-res m'a-mi-e-te,

Vous a-ve-res ma chain-tu-re-te, M'au-mos-niere et mon

fre-ma-let. Ber-ge-ron-ne-te dou-che bais-se-

le-te, Don-nés le moi vos-tre cha-pe-

MARION

let Vo-len-tiers, men douc a-mi-et.

D. MINNESÄNGER UND MEISTERSINGER

9. Kreuzfahrerlied

Walther von der Vogelweide

Al- ler- êrst le- be ich mir ___ wer- de ___ Sit mîn sün- dic
ou- ge ___ siht ___ Daz rei- ne lant und ouch die ___
er- de ___ Der man sô vil ___ ê- ren ___ giht. ___ Mirst ge-
schehen des ___ ich ie ___ bat, Ich bin ko- men an die ___
stat. Da got men- nisch- li- chen ___ trat. ___

10. Der Gülden Ton

Hans Sachs

1. Lob sei Gott Va- ter in dem Thron,schon,fron, der uns sein Wort
2. dar- durch wir clar den wil- len sein, fein, rein, er- ken- nen hy,

der Gna- den Hort, an man- nig Ort,yez gne- digk- lich auss- rifft.
on zwei- ffel y, clar lau- ter wy aussder hei- li- gen Schrifft.

3. Die vor was gar ver- dun- kelt sehr von der sched- li- chen Men- schen Lehr,die uns pracht in
der Zwei- ffel schwer;der her ver- hen- get uns das,
seit uns viel bass lie- bet die strass mensch- li- cher lug und gifft.

E. LAUDE

11. Gloria in cielo

Fine

Glo- ri- a in cie- lo e pa- ce in ter- ra Nat'ëll no- stro sal- va- to- re.
Nat'è Cri- sto glo- ri- o- so L'al- to Dio ma- ra- vi- glio- so
Da Capo
Fa- cto è om de- si- de- ro- so Lo be- ni- gno cre- a- to- re

12

F. BEGINN DER MEHRSTIMMIGKEIT

12. Organum in Parallelen

Nos qui vivimus benedicimus Dominum ex hoc nunc et usque in saeculum.

Sit glo-ri-a Do-mi-ni, in sæ-cu-la læ-ta-bi-tur Do-mi-nus in o-pe-ri-bus su-is

Rex coe-li Do-mi-ne ma-ris un-di-so-ni   Te hu-
Ti-ta-nis ni-ti-di squa-li-di-que so-li   Se ju-

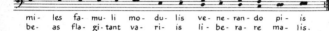

mi-les fa-mu-li mo-du-lis ve-ne-ran-do pi-is
be-as fla-gi-tant va-ri-is li-be-ra-re ma-lis.

13. Freies Organum

Cun-cti-po-tens ge-ni-tor De-us, om-ni-cre-a-tor, e- -lei-son.

Chri-ste De-i splendor, vir-tus pa-tris-que so-phi-a, e- -lei-son.

Am-bo-rum sa-crum spi-ra-men, ne-xus a-mor-que, e- -lei-son.

14. Melismatisches Organum

Cun- cti- po- tens ge- ni- tor,

De- us om- ni-cre- a- tor,

e- lei- son.

15. St. Magnus-Hymnus (Gymel)

No- bi- lis, hu- mi- lis Mag- ne mar- tyr sta- bi- lis,
Ha- bi- lis, u- ti- lis co- mes ve- ne-

ra- bi- lis Et tu- tor lau- da- bi- lis, tu- os sub- di-

tos Ser- va car- nis fra- gi- lis mo- le po- si- tos.

G. ARS ANTIQUA

16. Organum: Haec dies

Leoninus

Hec

di

es

quam fe- cit   Do mi- nus: ex sul- te-   mus

et lae- te- mur in e- a.

17. Organum: Haec dies

Perotinus Magnus

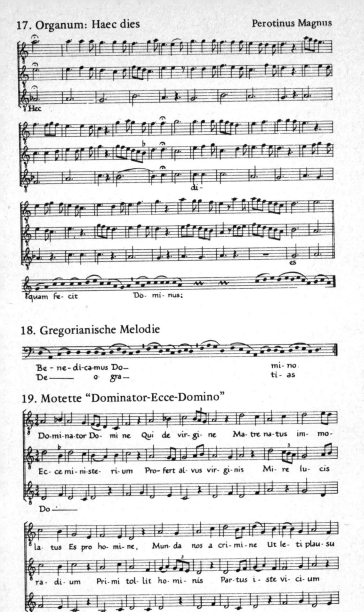

Hec

di-

es

quam fe- cit   Do- mi- nus:

18. Gregorianische Melodie

Be - ne-di-ca-mus Do—   mi-no-
De——— o- gra—   ti- as

19. Motette "Dominator-Ecce-Domino"

Do-mi-na-tor Do- mi-ne Qui de vir-gi- ne Ma-tre na-tus im- mo-

Ec-ce mi-ni-ste- ri-um Pro-fert al-vus vir-gi-nis Mi- re lu- cis

Do-

la- tus Es pro ho- mi- ne, Mun-da nos a cri-mi- ne Ut le- ti plau-su

ra- di- um Pri-mi tol- lit ho-mi- nís Par-tus i- ste vi- ci-um

ge-mi-no Ti-bi si-ne ter-mi-no Be-ne-di-ca-mus Do- mi- no.

Nunc si-ne fi-na-li ter-mi-no Hym-num re-fe-ra-mus Do- mi- no.

mi- no.

20. Clausula "Domino"

Be-ne-di-ca-mus DO-

MI- NO.

De- o gra- ti-as.

21. Conductus "Novus miles sequitur"

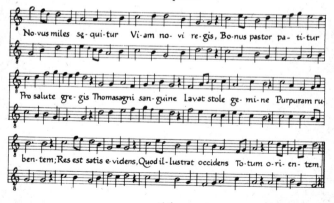

No-vus miles se-qui-tur Vi-am no-vi re-gis, Bo-nus pastor pa-ti-tur

Pro salute gre-gis Thomas agni san-guine lavat stole ge-mi-ne Purpuram ru-

ben-tem; Res est satis e-videns, Quod il-lustrat occidens To-tum o-ri-en-tem.

16

22. S'il estoit nulz (Isorhythmische Motette)

Guillaume de Machault

S'il e-stoit nulz qui pleindre se de-ust pour nul mes-chief

S'a mours tous a- mans jo-ir

ET GAUDEBIT COR VESTRUM

que d'amour re-ce-ust je me devroi-e bien plein-dre

au com-man-ce-ment fai-soit, son pris

sans re-traire car quant pre-miers me vint en amou-rer, on-ques

fe-roit a- men-rir, car nulz a-

en moy har-dement de-mou-rer ne vost laissier de ma dolour re-trai-re;

mans ne sa-roit les grans

mais ce qui plus me fai-soit res-jo-ir et qui e-spoir me donnoit de jo-

de-duis c'on re-coit en da-me d'on-nour

ir en res-gardant, sans plus di- re ne fai- re, fist

ser- vir. Mais cil qui vit

de- par- tir de moy, puis en pri-son el- le me mist ou j'euc ma li-vri-

en de- sir, et bonne A- mour l'a-

son de ardans desirs qui si me tient contrai- re

per- coit, en a. plus qu'il

que, se un tout seul plus que droit en e- usse, je scay de voir que vi- vre ne pe-us-se sanz

ne vou- droit, quant joi- e li wet me- rir.

le secours ma- dame de bon- nai- re qui m'a de ci, sans

Et pour ce nulz re- pen-

morir res-pi- té. Et c'est bien drois car doucour en pi-té et

tir de bien a- mer.

18

courtoisie ont en li leur repai- re

ne se doit, s'Amours le fait trop languir.

23. Je puis trop bien (Ballade)

Guillaume de Machault

Je puis trop bien ma dame comparer a
Dy- voire fu, tant belle et si sans per que

l'ymage que fist Pymalion
plus l'ama que Medee Jazon.

Li folz toudis la prioit, mais l'ymage riens ne li respondoit. Eins si me fait

cel- le qui mon cuer font, qu'a- des la pri et rien ne me respont

24. Comment qu'a moy (Virelai)

Guillaume de Machault

1.5. Comment qu'a moy lontein- ne son es, dame d'onnour, si
4. vo ma- nie- re cer- tein- ne et vo fresche cou- lour qui

19

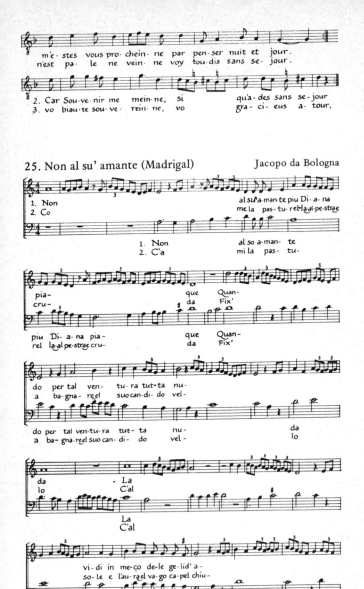

m'e- stes vous pro- chein- ne par pen- ser nuit et jour.
n'est pa- le ne vein- ne voy tou- dis sans se- jour.

2. Car Sou- ve- nir me mein- ne, si qu'a- des sans se- jour
3. vo biau- te sou- ve- rein- ne, vo gra- ci- eus a- tour,

25. Non al su' amante (Madrigal)

Jacopo da Bologna

1. Non al su'a- man- te piu Di- a- na
2. Co me la pas- tu- rel-la al- pe- stra

1. Non al so a- man- te
2. C'a mi la pas- tu-

pia- que Quan-
cru- da Fix'

piu Di- a- na pia- que Quan-
rel la al pe- stra cru- da Fix'

do per tal ven- tu- ra tut- ta nu-
a ba- gna- reel suo can- di- do vel-

do per tal ven- tu- ra tut- ta nu- da
a ba- gna- reel suo can- di- do vel- lo

da La
lo C'al

La
C'al

vi- di in me- ço de- le ge- lid' a-
so- le e l'au- ra el va- go ca- pel chiu-

vi- di in me- ço de- le ge- lid' a-
so- le e l'au- ra el va- go ca- pel chiu-

20

26. Io son un pellegrin (Ballata)

Giovanni da Florentia

27. Tosto che l'alba (Caccia)

Gherardello da Firenze

To-sto che l'al-ba del bel gior-no ap-pa-re I-sve-glia li cac-cia-tor: "Su, su, su, su che glie'l tem-po!" "Al-let-ta li can, te, te, te, te. Vi-o-la, te, Pri-me-ra, te!" Su al-to al mon-te con buon ca-ni al ma-no E gli brac-chett'al pia-no. E nel-la piag-gia ad or-di-ne cia-scu-no

To-sto che l'al-ba del bel gior-no ap-pa-re I-sve-glia li caccia-tor: "Su, su, su, su che glie'l tem-po!" "Al-let-ta li can, te, te, te te, Vi-o-la, te. Pri-me-ra, te!" Su al-to al mon-te con buon ca-ni al ma-no E gli brac-chett'al pia-no. Et nel-la piag-gia ad or-di-ne cia-scu-no

mi-glior bracchi Star'a-vi-sa-to. "Bus-sa-te d'ogni la-to cia-scun le macchie che Qua-gli-na

Io veg-gio sen-tir u-no de' no-stri mi-glior

22

I. DIE ENGLISCHE SCHULE IM 15. JAHRHUNDERT

28. Sancta Maria

John Dunstable

23

a. non est tibi si- mi- lis
a non est tibi si- mi-
a non est tibi si- mi-

or- ta in mun- do in mu- li- e-
lis or- ta in mun- do in
lis in mu- li- e-

ri- bus. Flo- rens ut ro-
mu- li- e- ri- bus Flo- rens ut ro-
ri- bus Florens ut ro- sa

sa, fla- grans sicut li- li-
sa. Fla- grans sicut li- li-

um, o- ra pro no- bis, sancta De-
um o- ra pro no- bis, sanc- ta De-
O- ra pro no- bis, sanc- ta De-

i ge- ni- trix.
i ge- ni- trix.
i ge- ni- trix.

24

29. Antiphon "Alma redemptoris Mater" (Ausschnitt)

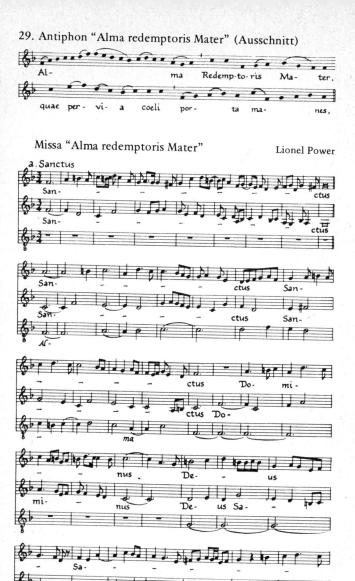

Al- ma Redemp-to-ris Ma- ter.

quae per- vi- a coeli por- ta ma- nes,

Missa "Alma redemptoris Mater"

Lionel Power

a. Sanctus

San- - ctus

San- - ctus

San- - ctus San-

San- - ctus San-

Al-

- - ctus Do- mi -

- - ctus Do-

ma

- - nus De- - us

mi- - nus De- us Sa- - mi -

- Sa- -

ba-

b. Agnus Dei I

26

27

30. Melodie L'homme armé

L'homme, l'homme, l'homme ar-mé l'homme ar-mé,

L'homme ar-mé doibt on dou-ter doibt on dou ter On a fait par-

tout cri-er Que chas-cun se viengue ar-mer D'un hau-bre-gon de fer.

31. Missa L'homme armé

a.

Guillaume Dufay

b.

32. Bon jour, bon mois (Chanson)

Guillaume Dufay

Bon jour, bon mois, bon an et bonne es- trai- ne

Bon jour, bon mois, bon an et bonne es- trai-

Vous doinst ce- luy qui tout tient en de-

ne Vous doinst ce- luy qui tout tient en de-

mai- ne. Ri- ches- se, hon- nour, sain- té, joy- e sans

mai- ne, Ri- ches- se, hon- nour, sain- té, joy- e sans

fin,

fin, Bon- ne fa-

Bon- ne fa- me, bel- le da- me, bon vin, Pour main- te- nir la

me, bel- le da- me, bon vin, Pour main- te- nir la cre- a-

30

cre-a-tu-re sai-ne

tu- re sai- ne.

33. Parce Domine (Motette)

Jacob Obrecht

Par- ce, Do- mi- ne, par- ce, Do- mi-

Par- ce, Do- mi-ne, par- ce,

Par- ce, Do- mi-

ne, po- pu-lo tu- o,

Do-mi-ne, po- pu-lo tu- o, qui-

ne, po- pu-lo tu- o, qui-

qui- a pi- us es et mi-

qui- a pi- us es et mise-

a pi- us es et mi-se-

se- ri-cors; ex-au-di

ri-cors, et mise-ri-cors; ex- au- di

ri- cors; ex-au-di nos

nos in æ-ter- num, Do- mi-ne.

nos in æ-ter-num, Do- mi-ne.

nos in æ-ter- num, Do- mi- ne.

34. Ave Maria . . . virgo serena (Motette)   Josquin des Prez

1.

33

4.

Ave vera virgini-
Ave vera virgini-
nostra fuit salva-ti-o. Ave vera virgi-
nostra fuit salva-ti-o. Ave vera virgini-

tas, immaculata castitas, cujus purificatio no-
tas, immaculata castitas, cujus purificatio no-
nitas, immaculata castitas cujus purifica-ti-o
tas, immacula-ta casti-tas, cu-jus purifica-ti-o no-

5.

stra fuit purgatio. Ave praecla-
stra fuit purgatio ti-o Ave praecla-
nostra fuit purgatio
stra fuit purgatio

ra omnibus angelicis virtu
ra omnibus angelicis
Ave praeclara omnibus an-
Ave praeclara omnibus an-

tibus, cujus fuit as-
virtutibus, cujus fuit
gelicis virtutibus, cu-
gelicis virtu tibus, cu-

34

35. Missa "L'homme armé super voces musicales"
Agnus Dei II (Kanon: "Tria in unum")   Josquin des Prez

36. Zwischen Berg und tiefem Tal

Heinrich Isaac

37. Als ick riep met verlanghen
Clemens non Papa

Als ick riep met ver-lan- ghen God hoorde al myn leyt myn

Als ick riep met ver-lan ghen God hoor-de al myn leyt

Als ick riep met verlan- ghen al myn leyt

leyt Wanneer mi droef-heyt heeft be-van-

Wanneer mi droef-heyt heeft be-van- ghen

Wanneer mi droef-heyt heeft be-van-ghen be-van-

gen Ghi hee-re myn troost ver-breyt.

Ghi hee-re my troost ver-breyt.

ghen Ghi hee-re my troost ver-breyt.

38. Tristis est anima mea (Motette)
Orlando di Lasso

Tri- stis

Tri- stis est a-ni-ma

Tri- stis est a- ni-ma me- a.

Tri- stis est a-ni-ma me- a, tri- stis

Tri- stis est a- ni-ma me- a,

est a-ni-ma, tri- stis est a-ni-ma me-a us-que ad

me- a, tri- stis est a- ni-ma me- a us-

tri-stis est a- ni-ma me- a us-que ad mor- tem, us-que-

est a- ni-ma me-a us-que ad mor-tem, us- que

tri- stis est a-ni-ma me- a us- que ad

37

39. Missa Papae Marcelli (Agnus Dei II)

Giovanni Pierluigi da Palestrina

41

40. Parodiemesse

a. Panis quem ego dabo (Motette; 1. Teil) Lupus Hellinck

43

44

b. Panis quem ego dabo (Missa; Kyrie I) Clemens non Papa

45

K. DIE INSTRUMENTALMUSIK IM 14. UND 15. JAHRHUNDERT

41. Lamento di Tristano

La Rotta

42. a. Lochamer Liederbuch: Mit ganczem Willen

Mit ganc-zem Wil-len wünsch ich dir seind ich mich dir er-
ob es geschech nach dein be-gier will ich ge-wal-tig-

ge- ben han
li- chen stan In dei nem gpot fraw vein on spot so

bleib ich dein al- ley- ne du al- ler- liebsts frew-lei- ne

b. Fundamentum: Mit ganczem Willen   Conrad Paumann

43. Orgelsatz zu: Salve Regina

Arnolt Schlick

Sal - ve, Re - gi - na, mater mi - se - ri - cor - di - ae

47

44. Buxheimer Orgelbuch: Preambulum

45. Neuer Bauernschwanz

L. DIE VENEZIANISCHE SCHULE IM 16. JAHRHUNDERT

46. Pater Noster (Motette)   Adrian Willaert

49

50

51

47. O magnum mysterium (doppelchörig)
Giovanni Gabrieli

48. Die Entwicklung des Madrigals

a. Deh ferm' Amor

Domenico Ferrabosco

Deh ferm' — A-mor co-stui che co-sì sciol-to di-nanz'al
Deh ferm' — A-mor co-stui che co-sì sciol-to di-nanz'al
Deh ferm' — A-mor co-stui che co-sì sciol-to di-nanz'al len-
Deh ferm' — A-mor co-stui che co-sì sciol-to di-nanz'al

len- to mio cor-rer s'af-fret-ta: o
len- to mio cor-rer s'af-fret- ta, s'af- fret-
- to mio cor-rer s'af-fret- ta cor-rer s'af-
len- to mio cor-rer s'af-fret- ta, s'af- fret- ta

tor- na-mi nel grad' o-ve m'hai tol-to, quan-do n'a
- ta; o tor-na-mi nel gra-do o-ve m'hai tol- to, quan-do n'a
fret- ta; o tor-na-mi nel grad' o-ve m'hai tol- to, quan-do n'a te
; o tor-na-mi nel grad' o-ve m'hai tol- to, quan-do n'a

te n'ad al-tro e-ra sug- get-ta. Deh — com'è il
te n'ad al-tro e-ra sug- get- ta. Deh — com'è il
n'ad al- tro e-ra sug-get- ta Deh — com'è il
te n'ad al-tro e-ra sug-get ta. Deh — com'è il

57

b. Lasso che mal accorto

Cipriano de Rore

Las - so, che mal ac-cor-to fui da pri - ma

Las - so, che mal ac-cor-to fui da pri - ma

Las - so, che mal ac-cor-to fui, las - so, che mal ac-

Las - so, che mal ac-cor-to

Las - so, che mal ac-

Nel gior-no ch'a fe-rir-mi ven-ria-mo - re

Nel gior-no ch'a fe-rir-mi ven-ria-mo - re, Ch'a pas - so a

cor-to fui da pri - ma Nel gior-no ch'a fe-rir mi ven-ria-mo - re,

fui da pri - ma Nel gior-no ch'a fe-rir-mi ven - ria-mo

cor - to fui da pri - ma Nel gior-no ch'a fe-rir-mi ven-ria-mo-

Ch'a pas - so a pas - so è poi fat-to si-gno - re De la mia vi-

pas - so è poi fat-to si-gno - re De la mia vi - ta, Ch'a pas-

Ch'a pas - so a pas - so è poi fat - to si-gno - re De la mia vi-

- re, Ch'a pas - so a pas - so è poi fat-to si-gno - re De

re, Ch'a pas - so a pas - so è poi

- ta e po-sto in su la ci - ma.

- so a pas - so è poi fat-to si-gno - re De la mia vi - ta e po-sto in

ta e po-sto in su la ci - ma, e po-sto in su la ci-

la mia vi - ta e po-sto in su la ci - ma, e po-sto in

- fat-to si-gno re De la mia vi - ta e

58

chi so-pra'l ver s'e-sti- ma, Ma co-sì va chi so-pra'l ver s'e-sti- ma.

chi so-pra'l ver s'e-sti- ma, Ma co-sì va chi so-pra'l ver s'e-sti- ma.

- ma, Ma co-sì va chi so-pra'l ver s'e-sti- ma.

sti-ma, chi so-pra'l ver s'e-sti- ma, Ma co-sì va chi so-pra'l ver s'e-sti- ma.

ver s'e-sti- ma, Ma co-sì va, ma co-sì va chi so-pra'l ver s'e-sti- ma.

c. Resta di darmi noia
Gesualdo da Venosa

Re-sta di dar-mi no-ia, re-sta di dar-mi no-ia,

Re-sta di dar-mi no-ia, re-sta di dar-mi no-ia,

Re-sta di dar-mi no- ia, re-sta di dar-mi no- ia,

Re-sta di dar- mi no-ia, re-sta di dar- mi no-ia

Re-sta di dar-mi no- ia, re-sta di dar-mi no- ia,

Pen-sier cru-do e fal-la- ce,

Pen-sier cru- do e fal-la- ce, quel

Pen-sier cru- do e fal-la- ce,

Pen-sier cru-do e fal-la- ce, Ch'es-ser non può già mai

Pen-sier cru- do e fal- la- ce, Ch'es- ser non può già

quel che a te pia- ce, Ch'es-ser non può già mai quel che a te pia-

che a te pia- ce, Ch'es-ser non può già mai quel che a te pia- ce, quel che a te pia-

quel che a te pia- ce, Ch'es ser non può già mai quel che a te pia-

quel che a te pia- ce quel che a te pia- ce, quel che a te

mai quel che a te pia- ce, quel che a te pia-

60

61

49. L'Alouette

Clément Janequin

63

50. Quiconq' l'amour

Claude le Jeune

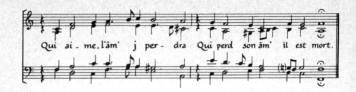

Qui ai - me, l'âm' j per - dra Qui perd son âm' il est mort.

51. Come away, sweet love

Thomas Greaves

Come a-way, sweet love and play thee, lest grief and care be-tray tree. Fa la la la la la la la

Come a-way, sweet love and play thee, lest grief and care be-tray tree. Fa la la la. Fa la

Come a-way, sweet love and play thee, lest grief and care be-tray tree. Fa la la la la,

Come a-way, sweet love and play thee, lest grief and care be-tray tree. Fa la la la la la la la la

Come a-way, sweet love and play thee, lest grief and care be-tray tree. Fa la la la la la la

la la la la, Fa la la la la la Come a-la. Leave off this sad la-

la la la la la la la la la la la. Come a- la. Leave off this sad la-

Fa la la, Fa la la la la la la la la la la. Come a- la. Leave off this sad la-

la la la la la, Fa la la la la. Come a- la. Leave off this sad la-

la la la, Fa la la la la la. Come a- la. Leave off this sad la-

ment - ing, and take thy heart's con-tent-ing, the Nymphs to sport in- vite thee,

ment - ing, and take thy heart's con-tent-ing, the Nymphs to sport in- vite thee, and

ment - ing, and take thy heart's con-tent-ing, the Nymphs to sport in- vite thee,

ment - ing, and take thy heart's con-tent-ing, the Nymphs to sport in- vite thee, and

ment - ing, and take thy heart's con-tent-ing, the Nymphs to sport in- vite thee,

66

and run-ning in and out, and run-ning in and out, and run-ning

run-ning in and out, and run-ning in and out, and run-ning in and out,

and run-ning in and out, and run-ning in and out, and run-ning in and

run-ning in and out, and run-ning in and out, and run-ning in and out,

and run-ning in and out, and run-ning in and

in and out and run-ning in and out de - lights thee

and run-ning in and out, and run-ning in and out de-lights thee. Fa la

out, and run-ning in and out de - lights thee. Fa la

and run - ning in and out de - lights thee Fa la

out, and run- ning in and out de - lights thee Fa la

Fa la la la la la, Fa la la la la la la, Fa la la la la, Fa la la la

la la la, Fa la la la la la la la la, Fa la la la la la la, Fa

la la la la la la la la la, Fa la la la la la la la, Fa la la

la la la la la, Fa la la la la la la la, Fa la la la la, Fa la la la

la la la, Fa la la la la la la la la, Fa la la la la la la la la la

la la, Fa la la la la la la la. Fa la la la la la. Leave la.

la la la la la, Fa la la la, Fa la la la la. Leave la.

la la la la, Fa la la Fa la la la, Fa la la la la la la. Leave la.

la la la la, Fa la la la, Fa la la la la la la la la la. Leave la.

Fa la la la la la la la Fa la la la la la. Leave la.

52. Dolce mia fiamma

Cornelis Schuyt

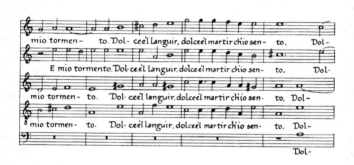

71

53. Durandarte

Luis Milan

Du - ran - dar - te   Du - ran - - - dar - te
Cuan - do en ga - las   yin - ven - - - cio - nes

Buen   ca - bal -
Pu - bli - - - ca -

le - ro   pro - ba - - - do.
bas tu   cui - da - - - do,

A - cor -   dàr - ra
A - go - - - ra

-se - te   de - bri -   a
des - co - no - ci - do,

D'a - quel   buen - tiem - po   pa - - - sa -
Di,   por que - me has   ol - vi - da

do.
do?

Pa - la - tes   son   li - son -
Pues a - mas - tes   à   gay -

73

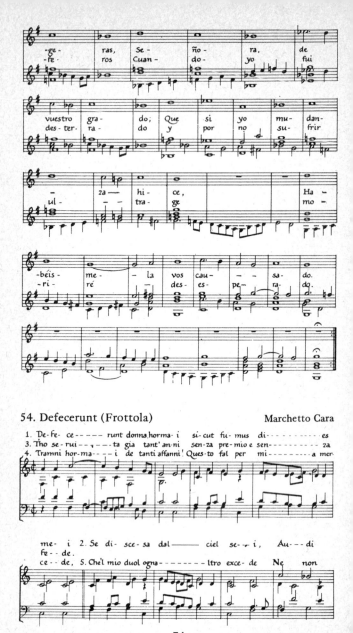

54. Defecerunt (Frottola)

Marchetto Cara

1. De-fe-ce----runt donna horma-i si-cut fu-mus di--------es
3. Tho se-rui----ta gia tant'an-ni sen-za pre-mio e sen--------za
4. Tramni hor-ma----i de tanti affanni! Ques-to fal per mi--------a mer-

me- i 2. Se di-sce-sa dal——ciel se--i, Au---di
fe--de.
ce-de, 5. Che'l mio duol ogna--------ltro exce-de Ne non

74

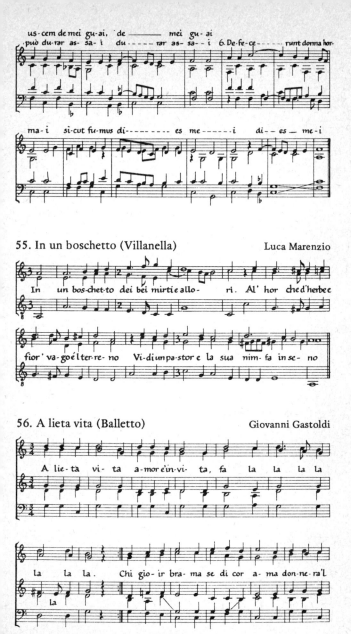

us-cem de mei gu-ai, de ——— mei gu-ai
può du-rar as-sa-i du-—-rar as-sa-i 6.De-fe-ce-—--runt donna hor-

ma-i si-cut fu-mus di-—----- es me-----i di--es—me-i

55. In un boschetto (Villanella)

Luca Marenzio

In un bos-chet-to dei bei mirti e allo-ri. Al' hor che d'herbe e
fior' va-go é l ter-re-no Vi-di un pa-stor e la sua nim-fa in se-no

56. A lieta vita (Balletto)

Giovanni Gastoldi

A lie-ta vi-ta a-mor e'in-vi-ta, fa la la la la
la la la. Chi gio-ir bra-ma se di cor a-ma don-ne-ra'l

57. Amfiparnaso (2. Akt, 1. Szene)

Orazio Vecchi

Lucio solo

77

78

58. Ihr bleibet nicht Bestand verpflicht

Adam Krieger

Mein Lieb ist weiß wie Schnee, schön wie das Fir-ma-ment. Wie a-ber in der

Höh als-bald sich das ver-wend in-dem es sei-ne Krei-se so rund umb-lau-fen

muß, nach ei-ner sol-chen Wei-se bringt auch mein Lieb Ver-druß, bringt auch mein Lieb Ver-druß

59. Lontananza crudel (Kammerduett)

Agostino Steffani

Lon- tananza crudel, tu mi tormen - - - - - - - - -ti,

Lon- tananza crudel, tu mi tor-

79

lon - tananza crudel, tu mi tormenti, tu mi tor-men——

—men————————ti, lon - tananza crudel, tu mi tor-

————ti, tu mi tormen——

men————ti, tu mi tormen——

- ti, tu mi tormen————————ti. Lascia ch'io goda un giorno con fe-

————ti. tu mi tormen————ti.

-li-ce ri-tor-no del bra-mato mio ben i dolci accen————————ti, i dolci accen-

-ti

Lascia ch'io goda un giorno con fe-li-ce ri-torno del bramato mio ben i dol-ci accen————

Lascia ch'io goda un giorno   lascia ch'io goda un

————ti, i dolci accen--ti,   con fe-li-ce ri-tor————

81

60. a. Mein G'müt ist mir verwirret
Hans Leo Haßler

Mein G'müt ist mir ver-wir-ret, das macht ein Jung-frau zart, bin ganz und gar ver-ir-ret, mein Herz das kränkt sich hart. Hab Tag und Nacht kein Ruh, führ' all-zeit gro-sse Klag, tu seuf-zen stets und wei-nen, in Trau-ern schier ver-zag.

b. O Haupt voll Blut und Wunden
Johann Sebastian Bach

O Haupt voll Blut und Wunden, voll Schmerz und vol-ler Hohn! O Haupt, zu Spott ge-

bun-den mit ei-ner Dor-nen-kron! O Haupt,sonst schön ge-zie-ret mit

höchster Ehr' und Zier, jetzt a-ber hoch schimpfi-ret ge-grüsset seist du mir!

61. a. Gott sei gelobet und gebenedeiet

Lucas Osiander

Gott sei ge-lo-bet und ge-be-ne-dei-et, der uns sel-ber hat ge-spei-set
mit sei-nem Flei-sche und mit sei-nem Blu-te, das gib uns, Herr Gott, zu gu-te.

Ky-ri-e-le-i-son Herr durch Dei-nen hei-ligen Leichnam,

der von Dei-ner Mut-ter Ma-ri-a kam, und das hei-li-ge Blut

hilf uns, Herr, aus al-ler Not! Ky-ri-e-le-i-son.

b. Gott sei gelobet und gebenedeiet

Balthasar Resinarius

62. Weil dann so unstet

Leonard Lechner

63. Der 8. Psalm "O notre Dieu"   Claude Goudimel

O no- tre Dieu! tout bon, tout a- do-ra- ble.   Que

ton saint nom est grand et re-dou- ta- ble,   Ta gloire é- cla-te et

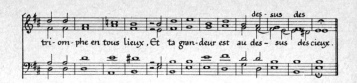

64. Der 90. Psalm "Tu as esté, Seigneur"

Jan Pieterszoon Sweelinck

65. Selig sind die Toten

Heinrich Schütz

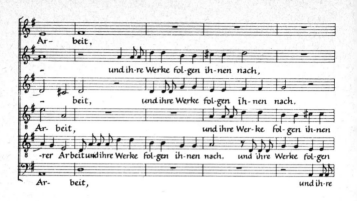

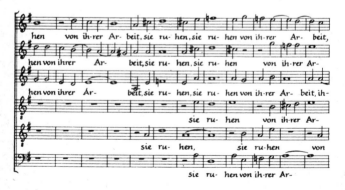

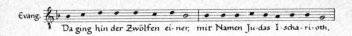

Evang. Da ging hin der Zwölfen ei-ner, mit Namen Ju-das I-scha-ri-oth,

zu den Hohen-prie-stern und sprach: Judas   Was wollt ihr mir ge-ben,

was wollt ihr mir ge-ben? Ich, ich will ihn euch ver-ra-ten.

Evang. Und sie bo-ten ihm drei-ssig Sil-ber-lin-ge, und von dem an

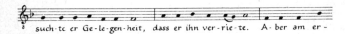

such-te er Ge-le-gen-heit, dass er ihn ver-rie-te. A-ber am er-

sten Ta-ge der sü-ssen Brot traten die Jünger zu Je-su und sprachen zu ihm:

Die Jünger Jesu

Sopr   Wo willt du dass wir dir be-

Alt   Wo willt du dass wir dir be-rei-ten, dass wir dir

Ten   Wo willt du dass wir dir be-rei-ten, dass wir dir be-

Bass   Wo willt du

rei-   ten   das O-sterlamm zu es-   sen?

-be-   rei-   ten das O-sterlamm zu es-   sen?

rei-   ten   das O-sterlamm zu es-   sen?

dass wir dir be-rei-   ten   das O-sterlamm zu es-   sen?

Evang. Er sprach: Jesus Ge-het hin in die Stadt zu einem, und sprechet zu ihm:

Der Mei-ster lässt dir sa-gen: Meine Zeit ist hie, ich will bei dir die O-stern hal-ten

mit mei-nen Jün-gern. Evang. Und die Jünger ta-ten wie ih-nen Je-sus

be-foh-len hat-te, und be-rei-te-ten das O-ster-lamm. Und am A-bend

setz-te er sich zu Tische mit den Zwölfen, und da sie a-ssen, sprach er: Jesus Wahrlich,

ich sa-ge euch, einer un-ter euch wird mich ver-ra-ten. Evang. Und sie wur-den

sehr be-trübt, und hu-ben an ein jeg-li-cher unter ih-nen und sag-ten zu ihm:

Die Jünger Jesu

Herr, bin ich's? Herr bin ich's, bin ich's, bin ich's, bin ich's?

Herr bin ich's? bin ich's, bin ich's, bin ich's, bin ich's?

Herr bin ich's? bin ich's, bin ich's, bin ich's bin ich's?

Herr bin ich's? bin ich's, bin ich's, bin ich's?

Evang. Jesus Er antwortet und sprach: Der mit der Hand mit mir in die Schüssel tauchet,

der, der wird mich verraten, Des Menschen Sohn gehet zwar dahin, wie von ihm geschrieben

stehet, doch wehe dem Menschen, durch welchen des Menschen Sohn verraten wird, es wäre ihm

besser, dass derselbige Mensch noch nie geboren wäre. Evang. Da antwortet Judas, der ihn

Judas verriet, und sprach: Bin ich's, bin ich's, Rabbi? Evang. Er sprach zu ihm: Jesus Du sa-gest es.

67. Ard'il mio petto

Giulio Caccini

68. Euridice (Ausschnitt)

Jacopo Peri

ARCETRO

Hor non ti rie-dein men-te quan-do fra tan-te pe-ne Io ti di-cea so--ven-te ar-ma't'il cor di ge-ne-ro-sa spe-me. Che de fede-lia -amanti non pon-noalfin delle donzelle i co-ri Sen-tir sen-za pie-tà le vo-ci ei pianti.

Ec-co ch'ai tuoi do-lo-ri Pur s'ammo-li-roalfi-ne Del di-sde-gno-so cor gl'a-spri ri-go-ri

ORFEO

Ben co-nosc' hor che tra pun--gen-ti spi-ne Tuedol-cis-si-me ro-se A-mor ser-bi na-sco-se. Or veg-gioe sen-to che per far-ne gio-ir-ne dai tor-men-to.

Tirsi viene in scena sonando la presente Zinfonia con un Triflauto, e canta la seguen-te stanza; salutando Orfeo di poi s'accompagna con gli altri der Coro, e con tale stru-mento fu sonata.

3 fluiten

97

TIRSI

Nel pur ardor del-

-la più bel-la stel-la Au-rea fa-cel-la di bel foc'accen-di E qui di-scen-di

Su l'au-ra-te piu-me gio-con-do nu-me, e di ce-le-ste fiam-ma l'a-

-nime infiam-ma.

69. Orfeo (Ausschnitt aus dem 4. Akt) Claudio Monteverdi

Coro di Spiriti a cinque

Pie-ta- de,og-gi,ed A- mo- re Tri-

Pie-ta- de,og- gi,ed A- mo- re Tri

Pie- ta- de,og- gi,ed A- mo- re Tri

Pie-ta- de,og-gi,ed — A- mo- re Tri-on-

Pie-ta- de,og- gi,ed — A- mo- re Tri-

on - fan, tri on - fan, tri - on - fan ne l'In - fer - no,

on - fan, tri - on - fan, tri - on - fan ne l'In - fer - no.

on - fan, tri - on - fan ne l'In - fer - no.

fan, tri - on - fan, tri - on - fan ne l'In - fer - no.

on - fan, tri - on - fan, tri - on - fan ne l'In - fer - no.

Uno spirito

Ec - co il gen - til can - to - re, Che sua spo - sa con - du - ce al Ciel -

RITORNELLO
Due Violini

- su - per - no. f

Orfeo

Qual ho - nor — di te fia de - gno, Mia ce tra on - ni po -

- ten - te, S'hai nel Tar - ta - reo re - gno Pie - gar po - tu - to o - gni in - du - ra - ta men -

Due Violini   Orfeo

te ?   Lun - go a.

99

_vrai___ fra le più bel-le I-ma-gi-ni ce - le_ sti On.d'al tuo suon le

stel-le Dan-ze.ran.nolo'gi _ _ _ ri or tar.di or pre _

Due Violini

Orfeo

sti. Io per

te ___ fe-li-ce.ap-pie-no Ve.drò l'a-ma-to vol - to E nel can _ di-do

se-no De la mia don-n'og-gi sa-rò ___ rac-col to Ma men-tr'io

can - to ohi - mè chi m'as-si - cu-ra Ch'el - la mi se - gua?

Ohi- mè, chi mi na-scon-de De l'a - ma-te pu-pil-le il dol-ce lu-me?

For-se d'in-vi-dia pun-te le de - i - tà d'A-ver-no, Per-ch'io non sia quag-giù fe-li-ce.ap-

pie-no, Mi tol-go-no il mi-rar-vi, Lu-ci be-a-te e lie-te, Che sol co'l

guar- do   al- trui be-ar po- te- te?   Ma che te- mi, mio

co-re? Ciò che vie-ta Plu-ton, co-man-da A-mo-re   A Nu- me più pos-

Qui si fa strepito dietro la tela,

sen- te, che vin-ce uo-mi-ni e Dei. _ Ben   ub-bi-dir do- vre- i.   Ma che

Clav, Chittarone e
viola da braccio

o- do,   ohi-mè las- so? S'ar-man for-s'a' miei dan- ni   Con

tal fu-ror le Fu-rie in-na-mo-ra-te   Per ra-pir-mi il mio ben? ed io'l con- sen- to?

(Qui si volta Orfeo e canta al suono dell'organo di legno)

O — dol-cis-si-mi lu-mi, io pur vi veg- gio,   Io pur...

Uno Spirito

Ma qual E-clis-si, ohi-mè, v'o-scu-ra?   Rot-t'hai la leg-ge, e se'di

Clavec, Viola da braccio basso en un chittarone.

Euridice

gra- zia in-de- gno   Ahi, _ vi-sta trop-po

dol- ce   e trop-po a-ma- ra.   Co- si per trop-po a-

101

-mor dun-que mi per - di? Ed io, mi - se - ra, per - do

Il po-ter più go-de-re e di lu-ce e di vi-ta, e per-do in-sie-me

Te d'o-gni ben più ca-ro, o mio con-sor - te.

Uno Spirito del coro canta

Tor-n'a l'om-bre di mor-te, In-fe-li-ce Eu-ri-di-ce, Né più spe-rar di ri-ve-

der le Stel-le, Ch'o-mai fia sor - do a' prie-ghi tuoi l'In-

Orfeo

fer - no. Do-ve ten vai, mia vi-ta? Ec-

-co, io ti se-guo. Ma chi me'l nie-gh'ohi-mè? So-gno o va-neg-gio?

Qual oc-cul-to po-ter di que-stior-ro-ri, Da que-stia-ma-ti or-

ro-ri Mal mio gra-do mi trag-ge e mi con-du-ce A l'o-di-o-sa lu-ce?

102

Sinfonia a 7

70. Il pomo d'oro (Arie der Venus)   Marc' Antonio Cesti

Ritornello

Viol I/II

Viola I/II

Venere (Sopr.)

Bass

Ah quanto'e vero Eh'il no- do Ar- cie- ro Forza non hà _____ For- za non hà;

Il no- stro co- re

O- gni vi- go- re So- lo gli dà, _____ So- lo gli dà.

Ritornello

Jean Baptiste Lully

Streicher

CADMUS

Belle Hermi-o-ne, Hé-las! Hé-las! puis-je être heureux _ sans vous? Que sert dans ce pa-lais la pom-pe qu'on pré-pa-re? Tout es-poir est per-du pour nous: le bonheur d'un a-mour si fidelle et si ra-re, Jusques entre les Dieux a trouvé des ja-loux. Belle Hermi-o-ne, He-las, He-las, puis-je être heu-reux _ sans vous. Nous nous etions flat-tés que no-tre sort bar-ba-re A-vait é-pui-sé son cour

.roux. Quelle rigueur quand on sé-pa-re Deux cœurs près d'être u- nis par des li-ens si

doux. Belle Hermi-o-ne, Hé-las! Hé-las, puis-je être heureux sans

vous!

72. Ouvertüre zu "Xerxes"

Jean Baptiste Lully

Modéré

Gai

106

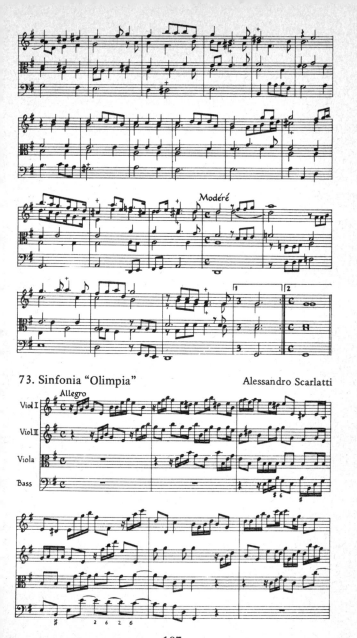

73. Sinfonia "Olimpia" Alessandro Scarlatti

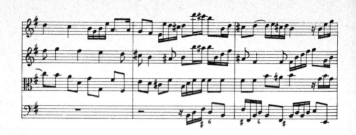

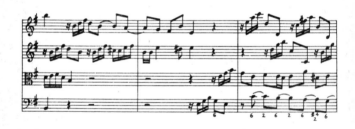

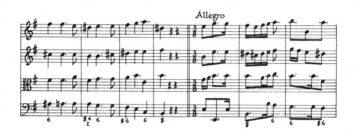

74. Dido and Aeneas (Klage)

Henry Purcell

Thy hand, Be-lin-da; dark - - ness shades me: On thy

bo-som let me rest: More I would, but Death-in-vades me: Death is

now a wel-come guest

When I am laid,- am laid - in earth, may my wrongs cre-

Strijkork.

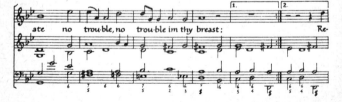

ate no trou-ble, no trou-ble im thy breast; Re-

P. DIE INSTRUMENTALMUSIK IM 16. UND 17. JAHRHUNDERT

75 a. Susanne un jour (chanson) 5st. von Orlando di Lasso
75 b. Bearbeitung für Tasteninstrumente   Andrea Gabrieli

112

en son coeur tri-ste et de-scon-for-té e,

a.

b.

Fust en son coeur tri-

a.

b.

-ste et de-scon- for- té -

a.

b.

114

ce corps mien vous au - ez jo - uis-

-san - ce.

C'est fait de moy C'est faict de moy. si

je fay re - sis - tan - ce, Vous me
fe - rez mon rir en de - shon - neur; Mais
j'ai - me mieux pe - rir en in - no -

117

76. Canzona   Giovanni Gabrieli

77. The Bells

William Byrd

123

78. Allemande "La Rare"

Champion de Chambonnières

79. Variationssuite

Paul Peuerl

80. Toccata ottavo tono

Claudio Merulo

128

81. Toccata sexti toni

Girolamo Frescobaldi

82. "Prélude et Fugue" Nicolas Lebègue

Fugue

83. Chromatische Fantasie

Jan Pieterszoon Sweenlinck

133

134

135

Dietrich Buxtehude

139

85. Kunt ich schön reines werden Weyb
Hans Newsidler

86. Suite
Johann Froberger

Allemande

Courante

140

87. Sonate für Violine und Basso continuo

Giovanni Battista Fontana

143

144

88. Triosonate "La Rosetta"

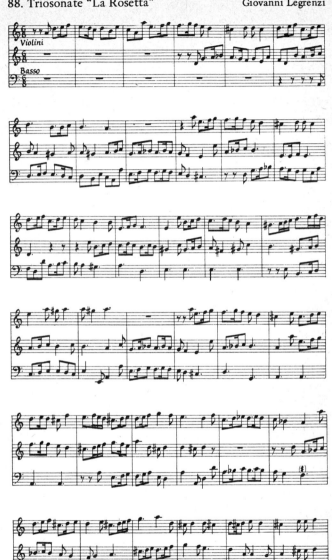

146

89. Triosonate in f, op. 3, Nr. 9

148

149

90. Concerto grosso, op. 8, Nr. 5 (4. Teil) — Giuseppe Torelli

154

91. Intrada   Johann Pezel

156

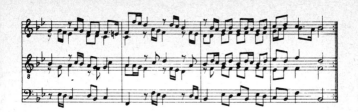

92. Orgelchoral "Gelobet seiest du, Jesu Christ

a. Johann Pachelbel

158

c. Johann Sebastian Bach

159

93. Historia di Ezechia (Ausschnitt)

Giacomo Carissimi

ra- -bo et narra- -bo et nar-ra-bo opera Do-mi-ni;

non mo-ri-ar, non mo- ri-ar sed vi- vam

et narra- -bo et narrabo o-pera Domini

et narra- -bo et narra- -bo et narrabo o-pera Do- mi-ni

CORO

Na- ra- bi-mus om- nes

Nar-ra- bi-mus om- nes o- pera Do- mini

Nar-ra- bi-mus om- nes o- pera Do- mini

161

o- pera Domini
o- pera Domini
o- pe-ra Domini et mi-ra-bi- li-a
o- pe-ra Do-mi- ni et mira-bi-li-a e-jus anunci-a- bi-
o- pe-ra Do-mi- ni et mira-bi-li-a e-jus anunci-a- bi-

et mira-bi- li-a e-jus annunci-a- bimus
et mira-bi- li-a e-jus annunci-
e-jus annunci-a- bi-mus, annunci-a- bi-mus, annunci-
mus et mira-
mus, annunci-a- bi-mus

165

94. Kantate "Alles was ihr tut" (Ausschnitt) Dietrich Buxtehude

Worten oder mit Werken, das tut al-les, das tut alles, das tut al-les im Na-men Je-

Worten oder mit Werken, das tut al-les, das tut alles, das tut al-les im Na-men Je-

su, im Namen Je- su,

und dan-

su, im Namen Je- su,

und danket und

su, im Namen Je- su,

und dan-

su, im Namen Je- su,

und dan-ket und

95. Anthem "I will love Thee, o Lord"

Henry Purcell

171

I will call, I will cal up-on the Lord, who is worth-y, is

worth-y to be prais'd: so shall I be safe, so shall I be safe from

_mine en-em-ies, so shall I be safe from _mine en-em-ies

CHORUS

Sopran
They prevented me in the day of my trouble, they prevented me in the

Alt
They prevented me in the day of my trou-ble, they pre-vented me in the

Tenor
They prevented me in the day of my trou-ble, they pre-vented me in the

Bass
They prevented me in the day of my trou-ble they pre-ven-ted me in the

day of my trou-ble: but the Lord, _ the Lord _ was my up-

day of my trou-ble: but the Lord, but the Lord _ was my up-

day of_ my trou-ble: but the Lord, the Lord was my up-

day of my trou-ble: but the Lord, the Lord was my up-

172

holder, but the Lord the Lord was my up-hold-er.

holder, but the Lord was my up-hold-er.

holder, but the Lord the Lord was my up-hold-er.

holder, but the Lord, the Lord was my up-hold-er.

B. c. The sor-rows of death com — — passed me and the o-ver-

flow — ings of the un-god-ly made me a-fraid. The pains of hell came a-

-bout me: and the snares of death o-vertook-me In my trou-ble I will call,

-will call up-on the Lord: and com-plain, com-plain — un-to my God,

and complain, com-plain — un-to my God. So shall he hear my voice

out of his ho-ly temple: and my com-plaint shall come, shall come before

him, it shall en-ter, shall en-ter ev'n in-to his ears, it shall en-ter, shall

173

enter ev'n in-to his ears, it shall en-ter, shall en-ter ev'n in-to his ears For

he shall send down from on high to fetch me, and shall take me out of

ma-ny wa-ters. He shall de-liv-er'me, he shall de-liv-er me from my

strongest en-em-ies, and from them which hate me: for they are too might-y, they are too

might-y for me, for they are too might-y, they are too might-y for me.

Chorus da capo

96. Auferstehungshistorie (Ausschnitt)
Heinrich Schütz

Violad-g I

Violad-g II

Violad-g III

Evangelist

Und sie ge-dach-ten an sei-ne Wort, und gingen vom Gra-be,

Violad-g IV

und ver-kün-dig-ten das darnach den El-fen und den an-dern al-len,

und sagten solches den A-posteln, und es däuchten sie ih-re Wort e-ben als

wärens Märlein, und gläubten ih-nen nicht. Da a-ber Ma-ri-a Magda-le-na

al-so läuft, wie ge-sagt, kömmt sie zu Si-mon Pe-tro und zu dem

an-dern Jünger, welchen Je-sus lieb hat-te, und spricht zu ih-   nen:

175

Maria Magdalena

Sopran I: Sie haben den Her - ren, den Her - ren

Sopran II: Sie ha-ben den Her - ren, den Her - ren

Bassus generalis

weg-ge-nom-men aus dem Gra - be, und wir wissen nicht,

weg-ge-nom-men aus dem Gra - be, und wir wissen

wo sie ihn hin-, und wir wissen nicht, wo sie ihn hin-,

nicht, wo sie ihn hin-, und wir wissen nicht wo sie ihn

und wir wissen nicht wo sie ihn hin-, und wir wissen nicht,

hin und wir wissen nicht wo sie ihn hin-, und wir wissen

wo sie ihn hin - ge - le - get ha - ben.

nicht wo sie ihn hin - ge le - get ha - ben

176

Da ging Petrus und der ander Jünger hinaus, und kamen zu dem Grabe,

es lie-fen a-ber die zweene Jünger zugleich und der ander Jünger lief zu-

vor, - schneller denn Pe-trus, und kam am ersten zum Gra-be, gucket

hinein und siehet die Leinen ge-le-get, er ging a-ber nicht hin- ein.

ERLÄUTERUNGEN

A. Griechische Musik

1. Seikiloslied. Eines der wenigen Überbleibsel der griechischen Musik ist dieses kleine Lied, das Seikilos als Grabinschrift für seine Frau in Stein meißeln ließ. Das im phrygischen τόνος geschriebene *Skolion* (= Trinklied) stammt vermutlich aus dem 1. Jahrhundert vor Chr. und wurde 1883 bei Tralles in der Türkei gefunden. (Faks. in: MGG, Bd. 5, Sp. 847/848.)
Bspe: HAM I; Schrg.; *Abhgn:* AHdb.; BHdb.−11; *MGG u. RL−S:* → Antike → Griech. Musik, → Griechenland, → Tonsystem, → Notation.

B. Gregorianischer Gesang

2. Der 146. Psalm mit Antiphon. Der *Psalm "Lauda anima mea"* mit *Antiphon "Laudabo"* ist die 5. antiphonische Psalmodie aus dem Nacht-Offizium —ad Laudes— der Feria Quarta (= Mittwoch). Es handelt sich dabei um die melodisch einfachste Art des in der christlichen Kirche so sehr verbreiteten Psalmengesangs; hier eine Rezitation auf dem *Tenor* a, mit dem *Initium* und der *Mediatio* des 4. Modus (= e-plagal) und der sogenannten *Psalmdifferenz* auf saeculorum amen, die zur Antiphon überleitet. Die Antiphon, ursprünglich ein refrainartiges Gesangstück, das nach jedem Psalmvers erklang, wird seit dem Tridentinum 1545 . . . 1563 nur noch vor und nach dem Psalm vorgetragen.

3. Kyrie eleison (= Herr erbarme dich). Das *Kyrie* ist der erste der fünf Teile des *Ordinarium Missae,* d.h. der Teile der Messe, die textlich immer gleich bleiben im Gegensatz zum *Proprium Missae,* das täglich wechselt. Es wird nach dem Introitus gesungen und besteht aus 3 x 3 Anrufungen. Das Kyrie IV der Editio Vaticana im 1. Modus (= Ite missa est IV) ist bereits zu Beginn der schriftlichen Überlieferung bekannt. Diese an Melismen (Melisma = Notengruppe über einer Silbe) reiche Melodie wurde verschiedentlich tropiert (= austextiert). Einen der häufigsten Texte zeigt Bsp. 4.

4. Kyrie-Tropus *"Cunctipotens"*. Die melodische Linie aus Beispiel 3 ist dieselbe geblieben, die melismatischen Stellen sind aber durch Hinzufügung eines neuen Textes syllabisch geworden. In dieser Form sowie mittels An- und Einfügung neuer Teile — aber immer im Zusammenhang mit der originalen Melodie — wurden im Mittelalter die Meß- und Offiziumsgesänge aufgelockert und neugestaltet. Das Konzil von Trient (1545 ff.) verbot alle Tropustexte, die Textinitien blieben häufig als Bezeichnung erhalten, so z. B. *"Cunctipotens genitor deus"* für Kyrie IV.

5. Sequenz: *"Victimae paschali laudes"*. Die *Sequenz* oder *Prosa* gehört neben dem Tropus zu den Neuschöpfungen der Karolingerzeit. Sie wurde bzw. wird in der Messe vor dem Evangelium, gleich im Anschluß an das Alleluia, aus dem sie herausgewachsen ist, gesungen. Das große Schlußmelisma, der erweiterte Jubilus auf die Silbe (Allelu)*ia*, sequentia genannt, erfuhr eine Austextierung, also "Prosulierung" (*prosa ad sequentiam*), so daß in der Regel eine Folge von Doppelversikeln einer Folge von sich wiederholenden Melodiezeilen entsprach. Es entstanden poetische Gebilde, die schließlich nur entfernt Anklänge an vorhandene Alleluia-Melodien aufwiesen, so z. B. das *"Victimae paschali laudes"* des Wipo († ca. 1050) an das Alleluia *"Christus resurgens"* für den Sonntag Cantate. Die Sequenzen sind seit dem Tridentinum bis auf 5 aus der Liturgie verschwunden. Im späteren Choral bzw. Kirchenlied findet manche Melodie wieder Verwendung. Das *"dic nobis Maria"* der Wipo-Sequenz erscheint im liturgischen Osterspiel.

(Ausgaben: Liber usualis missae et officii, Desclée 1964; Graduale sacrosanctae romanae ecclesiae, Desclée 1961; Antiphonale sacrosanctae romanae ecclesiae, Desclée 1949.)

Bspe: HAM I; Schrg.; Mwk.-18, 12 u. 30; *Abbgn:* AHdb.;
BHdb.-2 u. 8; WHdb.; KlHdb.-11; *MGG* u. *RL:* → Notker,
→ Wipo; *MGG u. RL-S:* → Quellen, → Denkmäler, → Grego-
rianischer Gesang, → Deutschland, → Italien, → Frankreich,
→ England, → Spanien, → Psalm, → Antiphon, → Kyrie,
→ Tropus, → Sequenz, → Messe, → Offizium, → Liturgische
Dramen.

C. Troubadours und Trouvères

6. Raimbaut de Vaqueiras (Troubadour, 1155 — 1207),
"Kalenda maya". Die Kunst der *Troubadours* war vor allem
in Südfrankreich beheimatet und zwar in der *Provence*, dem
Gebiet der langue d'oc — in der Zeit um 1100 — ; während
die Kunst der Trouvères in der 2. Hälfte des 12. Jh. nörd-
lich davon im Gebiet der langue d'oïl verbreitet war. Es
handelt sich um verfeinerte, höfische Poesie und Musik, die
von Rittern und einem Troß mehr oder minder begabter
Spielleute erfunden (trobar, trover = finden) und gepflegt
wurde; eine beachtliche Anzahl von Exponenten ist namentlich überliefert. Das hier veröffentlichte Beispiel des R. de
Vaqueiras, die Estampida *"Kalenda maya"*, ist nach einer
Melodie entstanden, die Vaqueiras laut Überlieferung am
Hofe zu Montferrat von zwei französischen Fiedlern gehört
haben soll. Die *Estampie* war ursprünglich ein instrumenta-
les Tanzstück, das nach Art der Sequenz aus einer Folge von
Melodiepaaren — *puncta* genannt — bestand. Die Schlüsse
der gleichen Melodiezeilen waren verschieden: ouvert und
clos (Quelle: Hs.Paris BN.fr.22543; hrsg.in GSM — 3).

7. Richard Löwenherz (1157 — 1199) *"Ja nus hons pris"*
(in: Gennrich, Altfrz. Lieder, 1953). Die Förderung, die die
Troubadours durch Eleonore von Aquitanien — der Ge-
mahlin Ludwigs VII. und Heinrichs II. — erfuhren, zog

zog viele von ihnen zu ihrem Schloß in die Normandie. Ihr Sohn Richard Löwenherz widmete sich selbst dieser höfischen Kunst und wurde ein bekannter *Trouvère*. Sein "*Ja nus hons pris*" steht in der seinerzeit viel gebrauchten Form der Ballade (Quelle: Hs.Paris BN.fr.846 = Chansonnier Cangé).

8. Adam de la Halle (ca. 1237 — 1286), ein *Trouvère der 2. Generation*, Mitglied der Dichter- und Musikergilde "Puy" in Arras, "*Le Jeu de Robin et de Marion*". Dieses einfache Schäferspiel mit eingefügten Melodien erzählt von der Liebe zweier Dorfbewohner, die durch einen Ritter entzweit werden; eine frühe *Pastourelle* mit volkstümlichen Melodien. Wahrscheinlich waren auch Instrumente an der Ausführung beteiligt (Quelle: Hs.Paris BN.fr.25566; hrsg. in: GMSt. 20 und CMM XLIV).

Bspe: HAM I; Schrg.; Mwk.-2 u. 27; *Abbgn:* AHdb.; BHdb.-2; GSM-4 u. 15; *MGG u. RL:* → Raimbaut, → Adam de la Halle; *MGG u. RL-S:* → Quellen, → Denkmäler, → Frankreich, → Arras, → Trobadors, → Troubadours u. Trouvères, → Trouvères, → Jongleur, → Chansonnier, → Chanson de geste, → Ballade, → Tenzone, → Tagelied, → Sirventes, → Planctus, → Lai, → Jeu parti, → Pastourelle, → Estampie.

D. Minnesänger und Meistersinger

9. Walther von der Vogelweide (ca. 1170 — 1230), *Palästinalied.* Die sich um 1200 entwickelnde Kunst der *Minnesänger* ist nach dem Vorbild der Troubadours und Trouvères entstanden. So wie in Frankreich, diente auch in Deutschland diese Kunst vorwiegend der "Minne" und streifte nur gelegentlich soziale und politische Probleme. Im Gegensatz zu den an Dur und Moll anklingenden Melodien der Troubadours und Trouvères aber, überwiegen bei den Minnesängern

die Kirchentonarten. Der Form a-a-b im Chanson der Troubadours und in der Ballade der Trouvères entspricht im
Minnegesang die Barform. Das *Palästina- oder Kreuzfahrer-
lied*, das sich vermutlich auf den Kreuzzug von 1228 be-
zieht, ist hierzu ein Beispiel. Man beachte, daß die Schluß-
bildung von b gleich der von a ist (Quelle: Münsterer Frag-
ment).

10. Hans Sachs (1494 — 1576), *"Der gülden Ton"*. Hans
Sachs war einer der angesehensten Vertreter der *Meistersinger* des 16. Jh. Die Meistersingerzünfte setzten sich aus
Handwerksleuten zusammen, die bestrebt waren, das künst-
lerische Erbe der Minnesänger fortzusetzen. Zu strenge Vor-
schriften und Regeln (*Tabulaturen*) führten aber schließlich
zu Erstarrung und Sterilität. Die *Barform* wurde besonders
gepflegt. Die Koloraturen, in unserem Beispiel Anfang und
Ende der beiden Stollen, wurden *Blumen* genannt. R. Wag-
ner gibt in seiner Oper "Die Meistersinger von Nürnberg" ein
farbiges Bild vom Leben und Treiben der Meister in ihren
Singschulen (Quelle: Das Singebuch d. A. Puschmann, hrsg.
v. G. Münzer, Lpz. 1906).

Bspe: HAM I; Schrg.; Mwk.−2; GSM −9 u. 11; *Abhgn:*
AHdb.; BHdb.−2; *MGG u. RL−S:* → Walther v.d.Vogelwei-
de, → Sachs; *MGG u. RL−S:* → Quellen, → Denkmäler, →
Deutschland, → Minnesang, → Meister(ge)sang, → Jena-
er Liederhandschrift, → Liederbücher.

E. Laude

11. Laude: *"Gloria in cielo"*. Die Lauden sind geistliche
italienische Lieder, die aus Strophen mit gleichbleibender
Ripresa bestehen. Ihre Anfänge gehen auf den Sonnenge-
sang des Hlg. Franziskus zurück. In den relig. Bruderschaf-
ten, den *"Laudesi"*, später Disciplinati oder Flagellan-

ti (Geißler), spielten sie eine bedeutende Rolle. Zunächst bei Prozessionen einstimmig im Wechsel von Vorsänger u: Chor gesungen, wurden sie schon Ende des 14.Jh. mehrstimmig komponiert u. blieben bei den sogenannten *Compagnie de'laudesi* als Andachtslieder (Laudi spirituali) sehr lange im Gebrauch (Quellen: Hs.Florenz,Bibl.Magl.II,I,122 u.Hs.Cortona,Bibl.Com.91; La Lauda . . . hrsg.v.Liuzzi, Rom 1935).

Bspe: HAM I; Schrg.; Mwk.—12; *Abhgn:* AHdb.; BHdb.—2; *MGG u. RL—S:* → Quellen, → Denkmäler, → Italien, → Deutschland, → Lauda = Laude, → Geißlerlieder.

F. Beginn der Mehrstimmigkeit

12. Organum in Parallelen. *Organum* ist die Bezeichnung jeder Art von Mehrstimmigkeit in der Zeit von ca. 800 bis ca. 1200. Bei der älteren Form des Organums ist *unter* die gregorianische Melodie, die *vox principalis*, eine im Abstand der Quarte oder Quinte liegende Parallelstimme, die *vox organalis* gesetzt. Auch die Verdoppelung dieser Stimmen in der höheren oder tieferen Oktave war geläufig s.Bsp. "Nos qui vivimus" und Bsp. "Sit gloria domini". Eine etwas freiere Form zeigt die sogenannte *"diaphonia cantilena"*: beide Stimmen beginnen im Einklang, die Oberstimme steigt aufwärts, bis der Abstand der Quarte erreicht ist, dann schreiten beide Stimmen in Parallelen fort und kehren schließlich zum Einklang, *"occursus"* genannt (Guido), zurück s. Bsp. "Rex coeli." Der *Tritonus*, das 3-Ganztonintervall wurde vermieden. (Quelle: "Musica enchiriadis" in: Gerbert, Scriptores eccl. de musica, Bd. 1, S. 152 ff.)

13.Freies Organum. Im freien Organum kommt zu den im Bsp.12 aufgezeigten Bewegungen der Stimmen, d.h. zur Parallel- u. Seitenbewegung, die *Gegenbewegung.* Die *vox principalis* (der Kyrie-Tropus "Cunctipotens" Bsp. 3 und 4) liegt nun *in der Unterstimme,* hebt sich aber von der Begleitstimme noch nicht so ab, wie im folgenden melismatischen Organum (Quelle: "Ad organum faciendum" = Mail. Traktat, hrsg.v.Coussemaker in: Hist.de l'Harm.Paris 1852).

14. Melismatisches Organum. Seit dem 12. Jh. ist diese Art des Organums verbreitet: die *vox principalis* wird als *cantus firmus* in langen Noten in der Unterstimme gesungen, die *vox organalis* umspielt die einzelnen Haltetöne mit Melismen. Wie der Handschriftenbefund zeigt, wurden melismatische Organa im Kloster St. Martial in Limoges (Frankreich) und in Santiago di Compostela (Spanien) besonders gepflegt (Quelle: "Codex Calixtinus" hrsg.v. Whitehall, Santiago de Compostela 1944).

15. St.Magnus—Hymnus: *"Nobilis humilis".* Die Terzen und Sexten galten auf dem europäischen Kontinent als "concordantiae imperfectae" (Franco/Garlandia), d.h. als dissonierende Intervalle; auf den britischen Inseln hingegen und in den skandinavischen Ländern waren sie bereits im 13. Jh. als Konsonanzen geläufig. Davon zeugt dieser in Terzenparallelen sich bewegende Hymnus zu Ehren des Heiligen Magnus, des Schutzheiligen der Orkney-Inseln, woher er auch stammt. Diese Art des Singens wurde *Cantus gemellus* bzw. *Gymel* genannt. (Quelle: Ms.Uppsala 233.)

Bspe: HAM I; Schrg.; Mwk.—9 u. 12; *Abhgn:* AHdb.; BHdb.—2; GSM—16; *MGG u. RL:* → Guido v.Arezzo, → Franco v.Köln, → Joh.de Garlandia; *MGG u. RL—S:* → Quellen, → Denkmäler, → St.Martial, → Santiago, → Spanien, → Frankreich, → Organum, → Diaphonia, → Gymel.

16. Organum "Haec Dies" (Graduale aus der Ostersonntags-
messe). Eine Weiterentwicklung des Organums fand im 13.
Jh. an der *Notre-Dame-Schule* in Paris statt. Ein anonymer
Theoretiker (Anon.IV, Coussemaker: Scriptorum I, 341ff.)
berichtet um 1270 von einem Magister *Leoninus*, einem
berühmten Organisten in Paris und seinem "Magnus liber
organi de gradali et antiphonario". Dieses Organabuch ist in
mehreren Hss. fragmentarisch erhalten, die wichtigste ist
Florenz Bibl.Laur.plut. 29,1. Aus dem vorliegenden Beispiel
ist die Kompositionsweise zu ersehen: die mehrstimmigen
Partien in Haltetontechnik wechseln mit den einstimmigen
gregorianischen ab; die einen wurden solistisch, die anderen
im Chor gesungen (hrsg. v. Dittmer in: PoMM.X,1 NY,1966).

17. Organum "Haec Dies". Die Werke des Leoninus und
seiner Schule waren zweistimmig konzipiert. Bei seinem
Nachfolger *Perotinus,* den der anonyme Theoretiker (s.o.)
ebenfalls nennt, wurde die Zweistimmigkeit zur Drei- und
Vierstimmigkeit erweitert; zum *duplum* gesellte sich also
ein *triplum* und *quadruplum.* Das hier gezeigte Organum
hat denselben cantus firmus, wie das Beispiel 16; auch der
Wechsel zwischen mehrstimmigen und einstimmigen Teilen
ist beibehalten und doch steht die straffe rhythmische Gliederung in allen Stimmen in krassem Gegensatz zum "organum purum". Diese Art der Mehrstimmigkeit − *discantus* −
genannt − bringt für die weitere Entwicklung die entscheidende Wende (hrsg.v. Husmann in: PäM XI, Lpz. 1940).

18. "Benedicamus Domino". Die Entlassungsformel aus
Messe und Offizium wird responsorial gesungen, d. h. ein
Solist singt den 1. Teil, das *Benedicamus Domino* und der
Chor die Antwort, *Deo gratias.* Dieser Gesang, als feier-

licher Abschluß im Mittelalter häufig tropiert, diente als Grundlage für eine Reihe von mehrstimmigen Vertonungen, so in den Beispielen 19 und 20.

19. Motetus: "Dominator-Ecce-Domino". Zu den von der *Notre-Dame-Schule* weiterentwickelten Formen gehört vor allem der *Motetus.* Ursprünglich wurde — vermutlich in Anlehnung an die Tropus-Praxis — über einem Gregorianischen Gesang "Tenor" genannt, ein Motetus (= Duplum), eine 2. Stimme mit anderem Text (mot!) gesungen. Im vorliegenden Beispiel handelt es sich um ein dreistimmiges Stück mit der Melodie des (Benedicamus-) *Domino* als Tenor, dem zwei weitere Stimmen mit eigenem Text hinzugefügt sind: der "Motetus" *Ecce ministerium* und das "Triplum" *Dominator Domino,* also lateinische geistliche Texte (Quelle: Bamberg StB, Ms. lit.115; hrsg. v. Aubry in: Cent motets . . . ND: NY 1964).

20. Clausula: "Domino". Im melismatischen Organum wurden, um eine übermäßige Erweiterung des Stückes zu vermeiden, die an und für sich schon melismatischen Stellen der *vox principalis* gerafft, d. h. sie wurden nicht Note für Note in der Oberstimme mit großen Melismen verziert. Im Gegensatz zu den *freien* Organum-Teilen, waren diese Stellen rhythmisch differenzierte Vorläufer der Diskantus-Technik. Es handelte sich meistens um Schlußmelismen, die dergestalt komponiert wurden, daher die Bezeichnung *clausula* (clausum = geschlossen). Dem Beispiel 20 liegt die gregorianische Melodie des Beispiels 18 zugrunde; der "Domino"-Teil ist die sogenannte clausula. Clausulae wurden auch für sich aufgeführt und traten häufig als Ersatz an die Stelle des vollständigen Organums (Quelle: Florenz Bibl.Laur.Pl.29,1; hrsg. in: PoMM. s.o.)

21. Conductus: "Novus Miles". Bei dieser Form der Mehrstimmigkeit gibt es keinen entlehnten Cantus firmus; alle Stimmen sind frei erfunden und weisen im Gegensatz zum

Motetus denselben Text und Rhythmus auf. Die sogenannten *caudae* — textlose Teile — wurden vermutlich instrumental ausgeführt (Quelle: Florenz . . . 29,1 . . . s.o.; Text in: AH.21, S. 90).

Bspe: HAM I; Schrg.; Mwk.−9 u. 12; GSM −5,7 u. 17; *Abhgn:* AHdb.; BHdb.−2; GMSt. − 5,6,8,12,22 u. 23; KlHdb. −2; *MGG u. RL:* → Leoninus, → Perotinus, → Anonymi; *MGG u. RL−S:* → Quellen, → Denkmäler, → Frankreich, → St.Martial, → Notre Dame, → Ars antiqua, → Organum, → Discantus, → Benedicamus, → Klausel, → Kadenz,→ Conductus, → Motette.

H. Ars Nova

22. Guillaume de Machault (ca. 1302−1377): *"S'il estoit nulz — S'amours tous — Et gaudebit";* eine *iso-rhythmische Motette.* Die Isorhythmie basiert auf der Unterscheidung von *Color* und *Talea.* Color nennen die Theoretiker die Wiederholung eines melodischen Modells, Talea die Wiederholung eines rhythmischen (=Strophe). Das Beispiel unterscheidet im Tenor 2 Colores: I. Takt 1 bis einschließlich Takt 16; II. Takt 17 bis einschließlich Takt 32. Color II hat denselben melodischen Verlauf wie Color I, aber in einer anderen rhythmischen Form. Color I und II haben je 3 Taleae (à 5 Takte). Die 3 Taleae des Color I zeigen während der 5 Takte dieselbe rhythmische Form, sind aber melodisch jeweils verschieden. Eine gleiche Einteilung hat auch Color II. Die beiden Colores enden mit nur einem Teil einer (4.?) Talea. Der letzte Takt von Color I bringt die sogenannte Landini-Kadenz, der letzte in Color II die sogenannte Machault-Kadenz.

23. Guillaume de Machault: *"Je puis trop bien".* Wie die einstimmige *Ballade* der Trouvères (Bsp. 7) hat auch die mehrstimmige Form der *Ars Nova* das Schema a-a-b. Ihr

Hauptmeister ist Machault. Das Beispiel — 3stimmig mit
französischem Text — ist im Stil geschmeidig und spielerisch.
Eine rein instrumentale Ausführung ist möglich.

24. Guillaume de Machault: *"Comment qu'a moy"*. Außer
mehrstimmigen Werken komponierte Machault auch einstimmige, wofür dieses *Virelai* ein Beispiel ist. Der Name
stammt vom alt-französischen *virer* (drehen) und *lai* (Lied);
daraus ergibt sich, daß wir es mit einem gesungenen Tanzstück zu tun haben. Der Text besteht aus Strophen (hier 5),
wovon die erste und die letzte immer gleich sind und dieselbe Melodie haben. Die vorletzte Strophe (hier also die 4.)
wird zu derselben Melodie gesungen wie die erste und die
letzte Strophe, aber mit eigenem Text. Dazwischen stehen
einige Strophen (hier 2) zu einer anderen Melodie. Die
Form des Viralai ist also a-b-b-a-a. (Quelle u.a.: Paris BN.
fr.22545 u. 22546; hrsg. v. Fr. Ludwig u. H. Besseler — ND.
v. PäM — Wiesbaden u. Lpz. 1954, 4 Bde.)

25. Jacopo da Bologna (Jacobus de Bononia, ca. 1350):
"Non al su' amante". Zugleich mit der französischen Ars
Nova finden wir in Italien eine Entwicklung, die man italie-
nische Ars Nova bzw. *Trecentomusik* nennt. Die weltliche
Trecentomusik ist in den Formen des *Madrigals* (Beispiel
25), der *Ballata* (Beispiel 26) und der *Caccia* (Beispiel 27)
vertreten. Die Madrigale waren zwei- oder dreistimmige
Komp. und bestanden aus zwei Teilen: auf zwei oder drei
Strophen von je drei Zeilen zur gleichen Melodie, folgte ein
Ritornello, eine zweizeilige Strophe zu einer anderen Melodie. Im Werk Jacopo da Bolognas — unser Beispiel zeigt
ein *Madrigal* auf einen Text Petrarcas — ist, besonders in
den 2stimmigen Madrigalen, ein deutlicher Stilwandel fest-
zustellen. Während sich Kompositionen einer frühen Schaffensperiode streckenweise in Oktav- und Quintparallelen bewegen und der Melodiefluß durch Pausen häufig unterbrochen ist, zeigt der reifere Stil (unser Bsp.) melodische und

rhythmische Selbständigkeit in beiden Stimmen. Acht verschiedene Hss. zeugen von der Beliebtheit seiner Werke, u.a. der *Squarcialupi-Codex*, hrsg. v. J. Wolf u. H. Albrecht, Lippstadt 1955. Diese Madrigale des 14. Jh. entsprechen nicht den Madrigalen des 16. Jh. (Bsp.48)

26. Ballata: *"Io son un pellegrin"*. Wurde im Trecento zunächst das Madrigal kultiviert, so verlegten spätere Komponisten — vor allem Landini (ca. 1325—1397) — mit 141 von 154 Kompositionen den Schwerpunkt auf die *Ballata*. Dieser, ursprünglich aus der Laudenliteratur (Bsp. 11) entwickelte Reigentanz mit *Stanzen* und *Ripresa* (Vorsänger + Chor der Tänzer) verändert unter dem Einfluß des französischen Virelai und der modernen italienischen Canzone die Form und den Zweck. Die Ballata wird ein höchst kunstvolles dichterisch-musikalisches Gebilde. *"Io son un pellegrin"*, in mehreren Quellen anonym überliefert, ist von verschiedenen Wissenschaftlern (Wolf, Ghisi etc.) *Giovanni da Florentia* (auch da Cascia, um 1350) zugeschrieben worden, andere (Pirrotta, K. v. Fischer) sind geneigt, *Landini* für den Autor zu halten. (G. da Florentia in: CMM VIII, 1954).

27. Gherardello da Firenze (ca. 1360): *"O Tosto che l'alba"*. Die französische *chace* und die italienische *caccia* sind beide im 14. Jh. entstanden und die Bezeichnung ist sowohl vom Text als auch von der Musik her zu verstehen. Die Texte — mit humoristischem, manchmal etwas frivolem Sujet — stellen Jagd-, Fisch- und Marktszenen realistisch dar; die Musik bedient sich der Nachahmungstechnik, um Eile, Unruhe, Gedränge etc. auszudrücken. Der musikalische Aufbau kann wechseln. In diesem Bsp., das die übliche ital. Drei-stimmigkeit zeigt, bewegen sich zwei kanonisch geführte Oberstimmen über einem unabhängigen Instrumentalbaß. (Gherardello u.a. in: CMM VIII, 1954).

Bspe: HAM I; Schrg.; GSM−10 u. 6; Mwk.−9; SchradePM
−2,3,4,6 u. 7; *Abhgn:* AHdb.; BHdb.−2; GSM−2,7 u. 16;
MGG u. RL: → Machault, → Jacobus = Jacopo da B.; →
Joh. de Florentia = Giovanni da Cascia, → Landini, → Ghe-
rardello; *MGG u. RL−S:* → Quellen, → Denkmäler, →
Frankreich, → Ars nova, → Motette, → Isorhythmie, →
Ballade, → Ballata, → Virelai, → Italien, → Trecento, →
Madrigal, → Caccia=Chasse, → Canzone, → Tonmalerei, →
Squarcialupi-Codex.

I. Die Englische Schule im 15. Jahrhundert

28. John Dunstable (ca. 1380−1453): *"Sancta Maria".*
Ein wichtiges Bindeglied zwischen Ars Nova und der Niederländischen Schule (Bsp. 31ff.) war die *"Englische Schule";*
ihr bedeutendster Komponist John Dunstable. Er faßte
die charakteristischen Züge englischer Musikpraxis — Vor-
liebe für Terzen, Dreiklänge und Sextakkorde — zusammen und verschmolz sie mit festländischer Tradition. In
seinen *Motetten* gab er die in den Beispielen 19 und 22
demonstrierte Mehrtextigkeit sowie die Verwendung eines
vorgegebenen Tenors auf. Er bevorzugte religiöse, lateinische Texte. Dissonanzen wurden bis auf wohl vorbereitete
Vorhalte vermieden; die 4. Stufe unterliegt häufigem Akzi-
denzwechsel. Mit Recht wird hier die Grenzlinie zwischen
MA und Renaissance gezogen. (Krit. GA in: Musica Britan-
nica VIII, London 1953; DTÖ Bd. 14, 15, 53, 61 u. 76.)

29. Lionel Power gestorben 1445 (Geburtsdatum ist unbe-
kannt): *Missa super "Alma Redemptoris Mater":* Sanctus
und Agnus Dei. Diese Messe gehört zu den späteren Werken
des Engländers Lionel (Leonel) Power, eines Zeitgenossen
Dunstables. Sie ist eines der ersten Beispiele für eine *Zyklus-
messe* mit einem in allen Ordinariumsteilen gleichlautenden
Tenor (hier der erste Teil der Antiphon: Alma Redemptoris

Mater). Der Gedanke, zunächst Satzpaare (Gloria-Credo oder Sanctus-Agnus), später sämtliche Ordinariumsteile einer Messe durch einen der Meßliturgie fremden Tenor zu verbinden, ist neu. Sie findet Nachahmung und erscheint schließlich auch mit einem weltlichen Gesang als Grundmelodie (Bsp. 31). (Hrsg. v. L. Feininger in: Docum. polyph. liturgicae Sanctae Eccl. Rom.I,2 u. 9 Rom 1947; GA: CMM L.)

Bspe: HAM I; Schrg.; Mwk.−30; *Abbgn:* AHdb.; BHdb.−2; SmwA.−21; KlHdb.−2 u. 11; *MGG u. RL:* → Dunstable, Lionel = Power. *MGG u. RL−S:* → Denkmäler, → England, → Motette, → Messe.

J. Die Niederländischen Schulen und Palestrina

30. L'homme armé. Diese *Chanson* unbekannter Herkunft wurde von Dufay, von seinen Zeitgenossen und auch später noch häufig als Tenor fü Meßkompositionen verwendet.

31. Guillaume Dufay (ca. 1400−1474): *Missa "L'homme armé"* (Kyrie I und Agnus-Dei III). Diese mehrst. Vertonung des 5teiligen *Ordinarium missae* gehört zu einer Gruppe von Messen aus Dufays späterer Schaffenszeit. Die Hauptstimme, der Tenor, bestimmt die Bildung der anderen Stimmen; Rhythmuswechsel und Wohlklang der Harmonien zeugen von reicher und reifer Erfindung. Die beiden Beispiele sollen die Verarbeitung eines der Motettenpraxis entsprechenden "fremden" Cantus als *Tenor* zeigen. Die Grundmelodie Bsp. 30 ist zum besseren Verständnis zweiteilig zu denken; Teil 1 schließt bei *on douter,* Teil 2 beginnt bei *doibt on.* Die erste *Kyrie*-Anrufung bringt Teil 1 in großen Notenwerten, von Takt 5−8 und 16−24; im *Christe* (hier nicht abgedruckt) setzt der Tenor in Takt 16 konsequenterweise mit dem 2. Teil der Grundmelodie ein und läßt diese auf "leison" enden; im folgenden *Kyrie* (hier nicht abgedruckt) erscheint der 1. Teil der Chanson ab Takt 16 wie gehabt und ein 2. Mal ab Takt 26 in kleineren Werten. Im *Agnus Dei*, 1. Anrufung (hier nicht abgedruckt), tritt die Grundmelodie in Takt 5–29 ganz und in Takt 31–39 nur als Teil 1 auf; die zweite Anrufung (hier nicht abgedruckt) ist 3stimmig und führt den 1. Teil der Grundmelodie in der Mittelstimme über "peccata mundi" und dem letzten "miserere"; die *dritte Anrufung* hat im Tenor ein ungemein interessantes Schema. Teil 1 der Chanson ist in 2 Melodieformeln geteilt anzunehmen: Die Formel cbaG (Takt 2–4 der Chanson), die im *Krebsgang*, d.h. in der Folge Gabc Verwendung findet (so Takt 1–4 und 7–9), und die Formel ddG, die sich dazwischenzwängt und auch nach Takt 9 immer wieder auftaucht, bis ab Takt 39 die ganze Chanson und der 1. Teil im normalen Verlauf, aber mit gekürzten Werten und verschiedener Rhythmisierung wieder aufgenommen und zum Ende geführt wird. Zu beachten sind die *Erläuterungen*, die da und dort in der Messe zu finden sind, z. B.: "Canon: Ad medium referas pausas relinquendo priores", oder: "Scindite pausa longarum, cetera per medium", oder – wie im Agnus Dei, letzte Anrufung –: *"Cancer est plenus sed redeat medius"*.

32. Guillaume Dufay: *"Bon jour, bon mois"*. *Dufay*, Binchois und andere Komponisten des 15. und 16. Jahrhunderts widmeten sich auch mit viel Erfolg weltlichen Formen. Die 3st. *Chanson*, ein Glückwunsch für Neujahr, ist ein Beispiel dafür. Das Satzgerüst geben die beiden z.T. imitatorisch verknüpften Stimmen, Tenor und Superius (Fauxbourdonpraxis). Die textlosen Teile sind instrumental ausgeführt zu denken. Gegen diesen losen Stimmenaufbau wirken die großen isorhythmischen Werke Dufays schwerfällig. Zu *"Bon jour, bon mois"* (s. "Das Chorwerk" 19) gibt es eine lateinische Kontrafaktur: *"Jesu judex veritatis"*. (Dufay-Werke u.a.: hrsg. v. Besseler – De Van, CMM I, 1–6, Rom 1947ff.)

33. Jacob Obrecht (ca. 1450—1505): *"Parce Domine"*. Zu der auf Dufay folgenden Generation gehört der in Bergen op Zoom geborene *Jacob Obrecht*. Die *Motette "Parce Domine"* dieses niederländischen Meisters ist außer in der hier gezeigten dreistimmigen Fassung in einigen Hss. 4stimmig überliefert. Schon Glarean (1488—1563) hat auf die unrichtige Hinzufügung einer vierten Stimme (2. Alt) hingewiesen. Bemerkenswert an diesem Stück und bezeichnend für Obrecht ist die Variierung einer festen Melodieformel, die durchsichtige Stimmführung und die ausgewogene Rhythmik. Von diesem sehr beliebten Stück ist später eine *Transkription für ein Tasteninstrument* gemacht worden, das von *Attaingnant* im Jahre 1531 zusammen mit anderen Transkriptionen gedruckt wurde. (Obrecht-Werke: hrsg. v. J. Wolf, Vereeniging voor Noord-Nederl. MG, Lpz-Amsterdam, 1912—1921; hrsg. v. A. Smijers, Amsterdam 1958ff.)

34. Josquin des Prez (Desprez, Deprès, 1440—1521): *"Ave Maria . . . virgo serena"*. Die Imitation, die schon in früheren Beispielen aufschien (u.a. Bsp. 32), sehen wir in dieser Motette Josquins zu einer interessanten Technik entwickelt. Als Vorlage diente eine seit dem Mittelalter verbreitete Melodie. Textlich bilden männliche 5silber den Anfang und den Schluß: "Ave Maria, gratia plena, dominus tecum, virgo serena" und "O mater dei, memento mei"; dazwischen stehen 5 aus 4 männlichen 8silbern gebildete Strophen: "Ave cujus conceptio", "Ave cujus nativitas", "Ave pia humilitas", "Ave vera virginitas" und "Ave praeclara omnibus". Der Strophenvorspann ist imitatorisch konzipiert in der Folge: Sopran, Alt, Tenor, Bass; ab "virgo" in der Folge: Alt, Sopran, Tenor, Bass. Die Strophen — ausgenommen die 4., die sich in Akkorden bewegt — sind vorwiegend in Stimmpaaren imitiert; der abschließende Teil breit akkordisch. Imitatorische und akkordische Satzteile wechseln scheinbar ohne Bezug zum Text, aber gedankliche und musikalische Schwerpunkte liegen offensichtlich in den akkordischen.

35. Josquin des Prez: *Missa "L'homme armé super voces musicales"* (Agnus Dei II). Auch hier, wie im Bsp. 31, begegnet uns die Melodie *"L'homme armé"* (s. Bsp. 30) als Kompositionsgrundlage. Josquin hat sie übrigens auch noch in einer zweiten Messe und einer 4st. "Bagatelle" bearbeitet. Die Messe ". . . super voces musicales" gehört zu den meistverbreiteten Josquins. Die vorgegebene *"Chanson"* erscheint in den verschiedenen Teilen des *Ordinarium missae* — tonartlich abgewandelt — vorwiegend als cantus firmus im Tenor. Ein Höchstmaß an Kunstfertigkeit zeigt der *Proportionskanon* in der 2. Agnus-Dei-Anrufung, die als Beispiel 35 hier abgedruckt ist. Im Proportionskanon werden aus einer Stimme durch *Augmentation*, Vergrößerung der Notenwerte oder *Diminution*, Verkleinerung der Notenwerte; (s. 3 verschiedene Mensurzeichen!) weitere Stimmen abgeleitet. Die so verschieden "proportionierten" Stimmen beginnen gleichzeitig, verständlicherweise enden sie aber an verschiedenen Stellen der vorgegebenen Melodie (s. die signa congruentiae). In unserem Beispiel setzt die Mittelstimme im Quintenintervall ein und verdoppelt die Baßnotenwerte, während die Oberstimme dieselben gleichzeitig im Verhältnis 1:1 1/2 verkleinert. Diese Technik ist im 16. Jh. häufig anzutreffen, weil sie sich in der damaligen Notation geradezu anbot. (Werke u.a.: hrsg. v. Albert Smijers, Vereeniging voor . . . MG, Amsterdam 1921ff.)

36. Heinrich Isaac (ca. 1450—1517): *"Zwischen Berg und tiefem Tal".* Isaac, in der Beherrschung der niederländischen Polyphonie ganz der Tradition verhaftet, aber gleichzeitig vertraut mit der zeitgenössischen *Liedkunst in Deutschland,* Frankreich und Italien, komponierte diese deutsche "volkstümliche" Weise im 4stimmigen Satz. Baß und Tenor sind als Duett im Kanon geführt, während die Oberstimmen in Imitation und freiem Kontrapunkt, fast instrumental anmuten. Eine Bearbeitung des Isaac-Schülers Senfl ist, mit Anführung *nur* zweier Textzeilen für Baß und Tenor, ausdrücklich so gemeint. (Werke in DTÖ, Bd. 10, 28, 32 etc.)

37. Clemens non Papa (ca. 1510—1555): *"Als ick riep met verlanghen" (Psalm 4)*. Schon zweiundzwanzig Jahre vor der berühmten französischen Psalmenübersetzung des *Clement Marot* und *Theodor de Bèze* kannten die Niederländer eine gereimte Psalmenübersetzung, die vermutlich von Willem van Nievcldt verfaßt war. Sie erschien 1540 bei Simon Cock unter dem Titel *Souterliedekens* (Souter = Psalter) mit Melodien, die dem Anschein nach vom gleichen Verfasser gesammelt und unterlegt wurden. Es handelt sich dabei vor allem um niederländische "Volkslieder", da und dort auch um ein wallonisches, französisches oder deutsches sowie um einige Melodien lateinisch-geistlicher Gesänge. Sie bilden eine einzigartige Quelle für die Erforschung des Liedes im 16. Jh. Auf die Bitte des Antwerpener Verlegers *Tylman Susato* verfaßte *Clemens non Papa* eine mehrstimmige Bearbeitung dieses "Psalters". Er wählte hierfür den dreistimmigen Satz und legte die ursprüngliche Melodie in den Tenor. Der hier abgedruckte vierte Psalm hat als *cantus firmus* die Melodie *"Het daget in het Oosten"*. (Werke u.a.: hrsg. v. K. Ph. Bernet Kempers, CMM IV, 1951).

38. Orlando di Lasso (ca. 1532—1594): *"Tristis est anima mea"*. Eine besondere Stellung im umfassenden Oeuvre *Orlando di Lassos,* des "princeps musicorum", nehmen zweifellos die *Motetten* ein, vor allem jene, die eine bestimmte Gemütsverfassung deutlich werden lassen. Das vorliegende Beispiel, die Worte Christi am Ölberg, ergreifend in Musik gesetzt, gehört dazu. Die freie Imitation verschiedener musikalischer Motive im Einklang mit der gedanklichen Thematik zeugt von tiefer geistiger Durchdringung des Textes und dem Ringen um adäquaten Ausdruck, so z.B. gleich am Anfang das *"Tristis est"*, dumpf und ausweglos in den Unterstimmen, textlich gerafft, grell und verzweifelt im Sopran oder am Ende der Aussage Takt 14 über *"(mor-)tem"* die leere Quinte im Zwei-Oktavenspatium! Ein Vergleich mit den Beispielen 33 und 34 (Obrecht und Josquin) macht den sich anbahnenden stilistischen Umbruch deutlich. Eine Chanson v. Orlando di Lasso ist in Beispiel 75 a wiedergegeben. [Werke u.a.: hrsg. v. d. Académie Royale des Sciences, des Lettres et des Beaux-arts de Belgique (Bruxelles) und der Bayer. Akademie der Wissenschaften (München).]

39. Giovanni Pierluigi da Palestrina (ca. 1525–1594): *"Missa Papae Marcelli"* (Agnus Dei II). Neben Orlando di Lasso ist *Palestrina* als einer der größten Komponisten des 16. Jh. zu nennen. Seine Werke entbehren häufig die Gefühlswärme seines Hennegauer Zeitgenossen, sind aber von unnachahmlicher Erhabenheit. Palestrina ist der letzte Repräsentant einer Musikkultur, die er in seinen Werken zur endgültigen Reife bringt, z.B. im vokalen Kontrapunkt seiner Messen und Motetten. Die *Tridentinische Reform* und sein Bestreben, den neuen kirchenmusikalischen Anforderungen zu entsprechen, sicherten seinen Werken frühzeitige Anerkennung und nachhaltigen Ruhm. Vor allem die *"Missa Papae Marcelli"* (Papst Marcellus II., + 1555) umgibt die Aura, die polyphone Kirchenmusik "gerettet" zu haben. Wie dem auch sei, sicher ist, daß es gelang, die reformierenden Päpste davon zu überzeugen, daß auch polyphon komponierte Texte verständlich sein können und sich als Rahmen zur Andachtspflege eignen. Im *Agnus Dei II* sind die kanonisch geführten Stimmen: Baß 1, Alt 2 und Sopran 2 (Kopfmotiv v. L'homme armé, s. Bsp. 30) in die vier anderen, ebenfalls polyphon konzipierten Stimmen eingebettet. Von der Missa Papae Marcelli gibt es mehrere Ausgaben, u.a. eine Taschenpartitur im Verlag Eulenburg, Zürich. (Werke: GA, Lpz. 1862–1903, 33 Bände u. Rom 1939ff.)

40a. Lupus Hellinck (ca. 1495—1541): *"Panis quem ego dabo"-Motette.*

40b. Clemens non Papa (ca. 1510—1555): *"Panis quem ego dabo"-Messe* (Kyrie I). Außer Messen, die auf einem vorgegebenen cantus firmus, d.h. auf einer bereits existierenden Grundmelodie geistlicher oder weltlicher Art fußen (Bsp. 29 und 31), gibt es im 15. und 16. Jh. auch Messen, die *mehrstimmige Chansons, Motetten* und *Madrigale* als Kompositionsvorlage benützen. Diese wird unter Weglassung oder Hinzufügung von Stimmen oder Noten dem Messentext angepaßt. Auf solche Weise komponierte *Clemens non Papa* 14 Messen, eine davon auf die Motette *"Panis quem ego dabo"* von Lupus Hellinck. Ein Vergleich verdeutlicht die Unterschiede bzw. Übereinstimmungen. (Hellinck: hrsg. v. J. Wolf, DDT, Bd. 34; Cl. non Papa, Werke s. Bsp. 37.)

Bspe: HAM I; Schrg.; Mwk.—22, 28 u. 30; PGfM—I-III u. VI; *Abhgn:* AHdb.; BHdb.—2 u. 8; KlHdb.—2 u. 11—*MGG u. RL:* → Dufay, → Obrecht, → Josquin, → Isaac, → Hellinck, → Cl. non Papa, → Lassus, → Palestrina. *MGG u. RL—S:* → Denkmäler, → Niederl. Musik, → Messe, → Motette, → Chanson, → Parodie, → Kontrafaktur, → Bearbeitung, → Imitation, → Proportion, → Cantus firmus, → Lied, → Souterliedekens, → Musica reservata.

K. Die Instrumentalmusik im 14. und 15. Jahrhundert

41. Lamento di Tristano (14. Jh.) Die älteste selbständige *Instrumentalmusik* ist wohl *Tanzmusik* gewesen und obgleich vorwiegend auf Improvisation beruhend, sind glücklicherweise einige notierte Stücke überliefert. Einer um 1400 geschriebenen italienischen Hs. (London Add. 29, 987) ist *"Lamento di Tristano"*, eines der bekanntesten poetisch-charakterisierten Tanzstücke für "Viella" entnommen; eine *Estampie,* bestehend aus 3 "puncta", gefolgt von einer ebenfalls dreipunktigen Variante *"La Rotta".* (Ausg.: J. Wolf: Die Tänze d. MA's, in: AfMw. 1.)

42. Conrad Paumann (1410/15—1473): "Mit ganczem Willen". Paumanns *Fundamentum organisandi* (Orgeltabulatur, Hs. Berlin, Stb. Mus. ms. 40613), dem dieses Beispiel entnommen wurde, ist eine Kompositions- und Spielanleitung für den Organisten, ein Schulwerk des instrumentalen Discantierens. Es ist im *Lochamer* (bzw. *Locheimer) Liederbuch* (eine der wichtigsten Quellen für das deutsche Lied und die frühe deutsche Mehrstimmigkeit) ab S. 46 mit dem Titel *"Fundamentum organisandi magistri Conradi Paumanns Ceci (caecus = blind) de Nurenberga anno 1452"* enthalten. *Conrad Paumann* nahm das im Lochamer Liederbuch stehende Lied *"Mit ganczem Willen"* (a.) als Vorlage für seine Orgelkomposition. (b.) Durch Striche ist die Liedmelodie darin gekennzeichnet; mit einer Ausnahme liegt sie im Baß. (Faksimile-Ausgabe, LB + Fundamentum, K. Ameln, Bln. 1925, Nachdruck Kassel 1972 = Documenta musicologica II, 3.)

43. Arnolt Schlick (ca. 1455—1525): *"Salve Regina".* Die Marianische Antiphon "Salve Regina", deren gregor. Melodie in *a.* abgedruckt ist, wurde von A. Schlick, einem blinden rheinpfälzer Organisten und Orgelkomponisten, für die gleichnamige *Orgelkomposition b.* verwertet. Sie ist dem 1., im Druck erschienenen *Orgeltabulaturbuch, "Tabulaturen etlicher Lobgesang", Mainz 1512,* das *A. Schlick* zum Verfasser hat, entnommen. Die Komposition ist 4-stimmig und zeigt Ansätze von Imitation. Neben dem oben erwähnten Werk hat A. Schlick die erste in deutscher Sprache gedruckte Abhandlung über den Orgelbau geschrieben: "Spiegel der Orgelmacher und Organisten," Speyer 1511. ("Tabulaturen . . ." hrsg. v. Eitner in MfM I, 1869; v. Harms, Hbg. 1924 u. 1937; "Spiegel . . ." hrsg. v. Smets, Mainz 1959.)

44. Praeambulum. Eine Handschrift in *deutscher Orgeltabulatur* aus dem Karthäuserkloster Buxheim weist durch eine Reihe von Konkordanzen Beziehungen zum *Lochamer-Liederbuch* auf. Neben diesen "Liedsätzen" enthält sie aber auch 27 "freie" Orgelkompositionen, darunter das hier abgedruckte *"Praeambulum".* Es handelt sich dabei um ein improvisiertes kurzes Vorspiel, das zur Andeutung der Tonart bzw. des Tonumfanges verwendet wurde; es bestand meistens aus Passagen oder Akkorden (Kennzeichen f.d. spätere Toccata, Bsp. 80, 81, 84). Das nach dem Fundort so benannte *"Buxheimer-Orgelbuch"* (ca. 1460) ist dafür eine wichtige Quelle. (In Umschrift hrsg. v. B. A. Wallner in: Das Erbe deutscher Musik, Teil 37, 38, 39.)

45. Neuer Bauernschwanz. Wie das Lochamer Liederbuch (Bsp. 42) ist auch das ca. 1483 geschriebene *"Glogauer Liederbuch"* für die Erforschung der deutschen Polyphonie des späten Mittelalters — ganz besonders wegen seiner Vielfältigkeit und Reichhaltigkeit — eine wichtige Quelle (Hs. Berlin StB. Mus. Ms. 40098). Es ist in 3 Stimmbüchern: Discant, Tenor und Contratenor vorhanden und enthält, neben vokalen Kompositionen, auch einige rein instrumentale Tanzmusiken, von denen "Neuer Bauernschwanz" ein besonders interessantes Stück ist. Der 2. Teil steht im 3/4 Takt und im Kontrast zum vorangehenden 1. Teil im 4/4 Takt. Dieser 2. Teil heißt auch *Nachtanz* oder *Proporz* wegen seiner Stellung bzw. seinem "Verhältnis" zum Vortanz (3:2). Das Wort *Schwanz* in Bauernschwanz ist abgeleitet vom *swansen,* was drehen bedeutet. (Ausgabe: Ringmann u. Klapper in: Reichsdenkmale 4. u. 8., Abt. MA I–II, 1936 – 1937.)

Bspe: HAM I; Schrg.; Mwk.–8,17 u. 27; *Abhgn:* AHdb.; BHdb.–2; *MGG u. RL:* → Paumann, → Schlick. *MGG u. RL–S:* → Quellen, → Denkmäler, → Liederbücher, → Lochamer Liederbuch, → Glogauer Liederbuch, → Buxheimer Orgelbuch, → Lamento, → Improvisation, → Estampie, → Orgeltabulatur, → Orgelmusik, → Praeambulum, → Proporz.

L. Die Venezianische Schule im 16. Jahrhundert

46. **Adrian Willaert** (1480/90–1562): *Motette "Pater noster".* Willaert, geboren in Brügge, seit 1522 im Dienste der *Este* in Ferrara und Mailand, seit 1527 Kapellmeister an San Marco in Venedig, wird dort zum Begründer der sogenannten "Venezianischen Schule". Die beiden an seinem Wirkungsort einander gegenüberliegenden Orgelemporen brachten ihn auf die Idee, für zwei mehrstimmige Chöre zu komponieren. Seine Schüler und Sukzessoren folgten diesem Beispiel (Bsp. 47). Willaert bediente sich der Doppelchörigkeit aber nur vereinzelt und schrieb im übrigen vorwiegend 4stimmige Sätze. Von seinen Werken sind besonders die *Motetten* hervorzuheben. Als Vorlage für die als Bsp. aufgeführte verwendete er die greg. Pater noster-Melodie im Discant. Man beachte den homophonen Satz von *"sed libera nos a malo"*, der als eindruckvoller Schluß im Kontrast zur vorangehenden polyphonen Stimmführung steht. Diese Motette wurde früher Obrecht zugeschrieben. Ein *Kontrapunktlehrbuch seines Schülers Zarlino: "Istitutioni harmoniche"* (1558) bewahrt die spezifische Satzkunst dieser weit über Italiens Grenzen hinaus bekannten, unumstrittenen Autorität. (GA, Bd. I, hrsg. v. H. Zenck in: PäM IX, Lpz. 1927; hrsg. v. H. Zenck u. W. Gerstenberg in: CMM III, Rom 1950ff.)

47. **Giovanni Gabrieli** (1554/57–1612/13): *"O magnum mysterium".* *Giovanni Gabrieli,* Schüler seines berühmten Onkels Andrea Gabrieli in Venedig und vermutlich auch Schüler Lassos in München, wurde 1584 Organist an San Marco. So in ein Erbe hineingestellt, wird er als Bewahrer und Vollender zum einflußreichsten Vertreter der *Venezianischen Schule* und zum Lehrmeister der folgenden Generation (Schütz, Haßler etc.). Für die oben erwähnte *Doppelchörigkeit* steht hier das Beispiel "O magnum mysterium", ein im wesentlichen homophon komponiertes Stück. Die getrennt aufgestellten vokalen, instrumentalen oder auch gemischten Ensembles, *cori spezzati* genannt, musizierten in einer Art Antiphonie. Im Bestreben, eine bestimmte "Klangwirkung" zu erzielen, ließ Gabrieli dem Mischen der Klangfarben besondere Sorgfalt angedeihen. (Werke GA: hrsg. v. Arnold in CMM XII, Rom 1957ff.)

48. **a. Domenico Ferrabosco** (1513–1574): *"Deh ferm' amor".*

b. Cipriano de Rore (1516–1565): *"Lasso che mal accorto".*

c. Gesualdo da Venosa (1560–1613): *"Resta di darmi noia".*

Diese drei Kompositionen zeigen die Entwicklung des Madrigals im 16. Jh., einer Gattung, die mit der gleichnamigen der "Ars nova" nichts zu tun hat, sondern literarischer Prägung war und sich im Humanistenkreis um *Kardinal Bembo* (1470–1547) formte. Die Norm ist zunächst der 4st., später der 5st. Satz, die Textvorlage weltliche Poesie in vorwiegend freier Gestaltung. Um ca. 1540 erfolgt eine Erweiterung der vorhandenen musikalischen Ausdrucksmittel: 1. Sorgfalt bei der Wahl der Tonarten, der Stimmlagen, der Satzarten; 2. Echowirkung; 3. verfeinerte Wortdeutung; 4. hörbare, aber auch sichtbare Tonmalerei (Noten schwarz, weiß); 5. rhythmische Belebung (Semiminimae, Hemiolenbildung); 6. Chromatik. Die Musik mit neuen harmonischen Wendungen scheint für exklusive Kenner komponiert. Mit *Gesualdo da Venosa,* Freund Tassos, dem "kühnsten Chromatiker", erreicht sie die letzte Steigerung. (Ferrabosco Madrigale: hrsg. v. Arkwright, London 1894; Rore: hrsg. v. Meier CMM XIV, Rom 1959; Gesualdo u.a.: Torchi IV; Vatielli in: Mon. I, 1, 1941; Pizzetti in: I Classici ... 1919.)

Bspe: HAM I; Schrg.; Mwk.—12 u. 22. *Abbgn:* AHdb; BHdb.—2; KlHdb.—2; PäM—X; *MGG u. RL:* → Willaert,→ G. Gabrieli, → Ferrabosco, → Rore, → Gesualdo, → Zarlino, → Bembo. *MGG u. RL—S:* → Venezianische Schule, → Italien, → Coro spezzato, → Mehrchörigkeit, → Motette, → Madrigal, → Kontrapunkt, → Homophonie, → Humanismus, → Chromatik, → Hemiole, → Echo, → Tonmalerei.

M. Weltliche Vokalmusik im 16. und 17. Jahrhundert

49. Clément Janequin (ca. 1485–1558): *Chanson "L'Alouette".* Wie in Italien das Madrigal, so war in Frankreich die Chanson die wichtigste weltlich-bürgerliche Kompositionsform im 16. Jh.; *Janequin*, Geistlicher, Leiter der Singschule an der Kathedrale in Angers, Sänger der Königlichen Kapelle Heinrichs II. in Paris u.a., ist mit 280 3- und 4 - stimmigen Stücken dieser Art einer der fruchtbarsten und originellsten französischen Renaissancekomponisten. Weit verbreitet und berühmt waren seine *deskriptiven Chansons* wie: "La Guerre", "La Bataille", "Le Chant des Oiseaux" etc. Sie sind einerseits z.T. naiv, überraschen andererseits aber durch ihre Spontaneität und realistische Aussage. Imitation, Wechsel zwischen zwei- und dreiteiligem Rhythmus, sowie der ansteigende Gebrauch chromatischer Alterationen kennzeichnen seinen Stil. Janequin wird mit Recht als Haupt der *"Pariser Schule"* angesehen. Der Chanson "L'Alouette" hat Claude de Jeune eine 5. Stimme hinzukomponiert. (Werke in: Expert, Maîtres musiciens de la renaissance française, 5 u. 7, Paris 1970 in PGfM — XXIII u.a.)

50. Claude le Jeune (1528/30–1600): *"Quiconq' l'amour".* Eine zweite Spezialform der Chanson im 16. Jh. war die sogenannte *chanson mesurée*, die ihre Entstehung den literar-historischen Tendenzen der *Pléiadegruppe* zu verdanken hat. Die Dichtung war nicht gereimt und beruhte auf griechischen Metren, war also überwiegend quantitierend. Einer der bedeutendsten Komponisten, der musikalisch nach entsprechendem Ausdruck suchte, war *Le Jeune;* in jener Zeit geistiger und religiöser Auseinandersetzungen *ein Exponent des musikalischen Humanismus.* Der Satz des Bsp. *"Quiconq' "* ist akkordisch, der Text: 2 männliche 8silbler + 2 männliche 7silbler mit musikalischer Dehnung auf den beiden Endsilben; der *Versfuß ist jambisch,* die Vertonung entsprechend. (Werke in: Expert, Maîtres musiciens de la renaissance française, 11−14, 16, 20 −22, Paris,1894ff; ND: NY 1970.)

51. Thomas Greaves (16. Jh.): *"Come away, sweet love".* England orientierte sich im letzten Drittel des 16. Jh. an italienischer Madrigalkunst. Englische Dichter (Sidney, Spenser etc.) schufen in Übersetzungen und eigener Poesie die literarische Grundlage, allerdings eine weniger anspruchs - volle. 1588 publizierte Nicholas Young in London eine Anthologie fremder Kompositionen: *"Musica transalpina".* Hierauf erfolgte eine rege Eigenproduktion mit schlichten feierlichen oder pastoralen Texten und ebensolcher Musik. Das Bsp. *"Come away, sweet love",* das letzte Stück der 1604 in London publizierten Sammlung *"Songes of sundrie kindes"* wird von Greaves als *"Ballett"* bezeichnet; es ist ein lebhaftes 5stimmiges Tanzlied von bemerkenswerter Erfindung. (Veröffentl. in: The English Madrigal School, Iff., hrsg. v. E. H. Fellowes, London 1913−1924).

52. Cornelis Schuyt (auch Scutius) (1557−1616): *"Dol - ce mia fiamma".* Daß Holland neben Sweelinck noch einige andere begabte Komponisten besaß, zeigen die Werke von *Jan Tollius* (um 1550−um 1603) und *Cornelis Schuyt.* Beide waren studienhalber in Italien und der Einfluß der italienischen Musik zeigt sich deutlich in ihren Werken. Schuyts fünfstimmige *Madrigale* sind größtenteils Gelegenheitsarbeiten und zeugen vom kultivierten Geschmack der

Kreise, für die sie komponiert wurden. (Ausgabe: A. Smijers, Vereeniging voor Nederl. MG. Amsterdam 1937, 1938.)

53. Luis Milan (ca. 1500—ca. 1562): *"Durandarte"*. Im 16. Jh. wurde in Spanien die *Vihuela* viel gespielt, ein Instrument, das ungefähr zwischen Laute und Gitarre einzuordnen ist. *Luis Milan: "Libro de musica de vihuela de mano, intitulado "El Maestro"*, Valencia 1535, ist ein Unterrichtsbuch (El Maestro = der Lehrer) zum Selbststudium der "manual", d.h. mit den Fingern gespielten Vihuela. Es enthält instrumentale *"Fantasien"* und *"Tänze"* sowie spanische, portugiesische und italienische *"Romanzen"*. Bei den Letzteren ist der Lautenpart in *Tabulatur* geschrieben; die Singstimme steht in roten Ziffern dazwischen oder in Mensuralnotation darüber. Von den in "El Maestro" enthaltenen Romanzen ist *"Durandarte"* eine der schönsten. (Werke: hrsg. v. Leo Schrade in PäM II.)

54. Marchetto Cara (ca. 1500): *"Defecerunt"*. In Italien erreichte das mehrstimmige Lied im 16. Jh. als *Madrigal, Villanella* und *Canzonetta* weite Verbreitung. Ein Vorläufer dazu ist die *Frottola,* die Mitte des 15. Jh. von norditalienischer Volksdichtung inspiriert, als Stehgreifkomposition zur bürgerlichen und höfischen Unterhaltung entwickelt wurde. Eng verwandt dazu sind die *canti carnascialeschi.* Die klassische Frottola war ein 3- oder 4stimmiges, vorwiegend homophones Stück mit textierter Oberstimme und Instrumentalbegleitung. *M. Cara*, zeitweilig Komponist und Lautenist am Hofe der *Gonzaga* zu Mantua, war einer der bedeutendsten Vertreter dieser Gattung. (Ausgabe: PäM VIII.)

55. Luca Marenzio (1553—1599): *"In un boschetto"*. Die *Villanella,* auch *"canzon villanesca alla napolitana"*, ist ein volkstümliches, häufig im Dialekt abgefaßtes Lied süditalienischer Herkunft; ursprünglich 3stimmig quintierend, später 4stimmig, bewußt primitiv im Satz und bewegt im

Rhythmus, bildet es eine Art *Parodie* auf die "Gelehrtheit" des Madrigals. Um die Mitte des 16. Jh. vollzieht sich eine Verfeinerung im Stil. Bekannte Madrigalkomponisten schreiben auch im großen Umfang Villanellen, so z.B. *Luca Marenzio,* der hervorragendste von ihnen. (Werke: hrsg. v. Eitner, PäM IV, 1 und VI; 10 Vilanellen, hrsg. v. H. Engel, 1928.)

56. Giovanni Giacomo Gastoldi (gest. 1622): *"A lieta vita".* Bei den im Jahre 1591 publizierten *"Balletti per cantare, sonare e ballare"* von Gastoldi zeigt bereits der Titel, daß diese lebhaften, homophon geschriebenen Stücke sowohl instrumental als auch vokal ausgeführt werden konnten und zum Tanzen geeignet waren. Die Refrainsilben *fa-la-la* sind ein Charakteristikum. Die *Balletti,*die in die höfischen Maskenspiele *"Scherzi musicali"* und die späteren *Madrigalkomödien* Eingang fanden, erfreuten sich auch außerhalb Italiens, in Deutschland und England großer Beliebtheit. (Werke u.a.: Torchi, II.)

57. Orazio Vecchi (1550–1605): *Ausschnitt aus "Amfiparnaso".* Diese *"Commedia harmonica",* bestehend aus zusammengewürfelten Szenen – 11 Dialoge und 3 Monologe im Madrigalstil, Texte vermutlich von Vecchi –, wurde erstmals 1594 in Modena aufgeführt. In den Monologen gehen die fünf Stimmen zusammen *wie in dem hier abgedruckten Beispiel;* in den Dialogen bemüht sich der Komponist, das abwechselnde Sprechen zu suggerieren, indem er die Oberstimmen den Unterstimmen – zwei Stimmpaare also – einander gegenüberstellt und die Mittelstimme als Verbindungsglied gebraucht. Das Werk sollte, wie der Komponist bemerkt, "però silentio fate, e'n vece di vedere hora ascoltate" durch das Ohr Zugang zum Hörer finden, was vermuten läßt, daß keine schauspielerische Aktion vorgesehen war. Sicher ist das Stück aber auch szenisch dargestellt worden. (Amfiparnaso, hrsg. v. Eitner in PGfM XXVI.)

58. Adam Krieger (1634—1666): *"Ihr bleibet nicht Bestand verpflicht".* Im 17. Jh. gerät die *deutsche Liedkomposition* unter den Einfluß der italienischen Monodie. Das wortbetonte, begleitete *Sololied* und die gleichzeitige erstaunliche Entwicklung der italienischen Gesangstechnik wirkten bahnbrechend. In Adam Kriegers *"Arien"* begegnet uns das deutsche *Strophenlied mit Basso continuo-Begleitung und Instrumentalritornellen* nach italienischer Manier. Ritornelle sind wiederkehrende kurze Instrumentalstücke, die als Einleitung, Zwischen- und Nachspiel gliedernd wirken und das Stimmungsbild ergänzen. Die hier abgedruckte Aria mit beziffertem Baß und 5stimmigem Ritornell hat außer der einen 5 weitere Strophen. Diese Art "Lieder" erfreute sich in den *Collegia musica* studentischer Kreise großer Beliebtheit. (Arien: hrsg. v. Moser in DDT, Bd. 19, 1958.)

59. Agostino Steffani (1654—1728): *"Lontananza crudel".* Zu den im 17. Jh. in Italien neu entwickelten Formen vokaler Musik gehörten die *Kammerkantate* und das *Kammerduett.* Die Erstgenannte ist eine sehr unterschiedlich lange, aus Rezitativen und Arien bestehende Kompositionsgattung für eine Solostimme mit Generalbaß, die u.a. von *Luigi Rossi* (1598—1653), nicht zuletzt wegen der Wahl brisanter Themen zu großem Ansehen gebracht wurde. Die Zweite — zwei melodische Solostimmen über einem Generalbaß — hat sich wohl aus dem Zusammengehen zweier Oberstimmen im mehrst. Liedsatz des 16. Jh. entwickelt. In Deutschland schrieb *Agostino Steffani,* Bischof und Diplomat, außer Opern und geistlichen Werken eine große Anzahl solcher Stücke; es sind Musterbeispiele dieser Art, die in teils polyphonem, teils homophonem Satz, mit südländischer Melodik gepaart, eine weite Ausdrucksskala eröffnen. (Ausgabe: DTB, Bd. 6 und 11.)

Bspe: HAM I u. II; Schrg.; Mwk.—3, 32 u. 46; *Abbgn:* AHdb.; BHdb.—2 u. 3; KlHdb.—5; *MGG u. RL:* →
Janequin, → Le Jeune, → Greaves, → Schuyt, → Tollius, →

Milan, → Cara, → Marenzio, → Gastoldi, → Vecchi, → Krieger, → Steffani, → Rossi; *MGG u. RL–S:* → Denkmäler, → Chanson, → Madrigal, → Frankreich, → England, → Italien, → Deutschland, → Spanien, → Vihuela, → Romanze, → Lautentabulatur, → Villanella, → Canzonetta, → Frottola, → Canti carnascialeschi, → Parodie, → Balletto, → Madrigalkomödie, → Lied, → Arie, → Rezitativ, → Ritornell, → Kammerkantate, → Kammerduett.

N. Protestantische Kirchenmusik im 16. und 17. Jahrhundert

60a. Hans Leo Haßler (1564–1612): *"Mein G'müt ist mir verwirret"*, aus *"Lustgarten Neuer Teutscher Gesaeng"* (1601). Liedkompositionen dieser Art, strophisch, schlicht akkordisch, sind als Prototyp des deutschen geselligen Liedes im 17. Jh. anzusehen. Das Beispiel ist ein 5stimmiges *Strophenlied* auf ein akrostichisches Liebesgedicht (5 Strophenanfänge: M-A-R-I-A). (Haßler Werke: hrsg. v. C. Russell Crosby jr. Bd. IX, Breitkopf & Härtel 1968; dito. PGfM, Bd. XV.)

60b. Johann Sebastian Bach (1685–1750): *"O Haupt voll Blut und Wunden"*. Die protestantischen *Choräle* haben häufig gregorianische, Volks- und Kunstlied- oder vorprotestantische Kirchenlied-Melodien als Vorlage. Die mehr oder minder veränderte Melodie zum neuen Text nennt man *Kontrafaktur*. Die unter 60a angeführte Melodie z.B. ist zu verschiedenen geistlichen Texten verwendet worden: *"Herzlich tut mich verlangen"*, *"O Haupt voll Blut und Wunden"* (Paul Gerhardt, Bachs Matthäuspassion, BWV 244), *"Wie soll ich dich empfangen"* (Bachs Weihnachtsoratorium, BWV 248) etc. Das rhythmisch differenzierte Liebeslied (3/4, 6/8, 2/4 Takt) wird zum erhebenen Choral. (Bach-Werke, Bärenreiter-Verlag, Kassel 1954 ff.)

61a. **Lucas Osiander** (1534—1604): *"Gott sei gelobet u. gebenedeiet"*

61b. **Balthasar Resinarius** (ca. 1485—1544): *"Gott sei gelobet und gebenedeiet"*. Diese beiden Beispiele zeigen zwei Bearbeitungsmöglichkeiten einer Choralmelodie. Bei *Resinarius,* einem der frühesten Choralbearbeiter (seine Werke entstanden im Auftrag des Druckers und Verlegers Rhaw), wird das Thema vorwiegend imitatorisch behandelt; man nennt eine solche Kompositionsart *Choralmotette;* bei *Osiander,* dem das chorale Singen der ganzen Gemeinde als Gotteslob vorschwebte, liegt das Thema in der Oberstimme eines 4stimmigen homophonen Satzes. Diese akkordische Gestaltung ist dem *Chorallied* eigen. (Werke von Osiander u.a. in: Mahrenholz-Ameln, Hdb. d. deutschen evang. KM, Göttingen 1941ff.; Werke v. Resinarius u.a. in: DDT, Bd. 34.)

62. **Leonhard Lechner** (ca. 1553—1606): *"Weil dann so unstet"*. Einer der wichtigsten Komponisten protestanti-scher Kirchenmusik vor Schütz war *Leonhard Lechner.* Als Schüler Lassos mit den kontrapunktischen Arbeiten der Niederländer bestens vertraut, aber auch der "Moderne" (Villanellen, Canzonen) zugeneigt, gelingt ihm ein Kompositionsstil einmaliger Art. Das hier abgedruckte Stück, eine *Liedmotette,* stammt aus der vom Herausgeber *"Deutsche Sprüche von Leben und Tod"* betitelten Sammlung, die in Lechners Sterbejahr erschienen ist. Die diesem Stück eigene große Ausdruckkraft zeugt von Lechners emotionalem Engagement. (Werke: hrsg. v. K. Ameln, 1954ff.)

63. **Claude Goudimel** (ca. 1514—1572): *"O notre Dieu"* (*Psalm 8*). Von dem französischen Komponisten *Claude Goudimel* erschien 1564 der vollständige *Genfer Psalter* (Hugenottenpsalter) in 4stimmiger Fassung (Vorlage: frz. Text v. Cl. Marot und Th. de Bèze, Melodien z.T. anonym, z.T. von Bourgeois). Obwohl Calvin für die Kirche nur den einstimmigen Psalmgesang erlaubte, durften im häuslichen Kreise und in anderen geschlossenen Veranstaltungen die Psalmen auch mehrstimmig gesungen werden. Das Bsp. *"O notre Dieu"* zeigt einen 4stimmigen äußerst bescheidenen Satz mit der Psalmmelodie von Bourgeois in der Oberstimme. Diese Art Psalmkomposition fand schließlich auch im reformierten Gottesdienst Verwendung; die Texte wurden in viele Sprachen übersetzt. Die erste deutsche Ausgabe, 1573 in Leipzig gedruckt, stammt v. Lobwasser. (Goudimel-Ausgabe in: Expert, Les Maîtres . . . s.o. 2, 4, 6.)

64. Jan Pieterszoon Sweelinck (1562—1621): *"Tu as esté Seigneur" (Psalm 90)*. Neben der im Beispiel 63 gezeigten homophonen Satzweise wurde auch die polyphone für den calvinistischen Psalter gebraucht. Der Organist der "Oude Kerk" (Alten Kirche) in Amsterdam, *Jan Pieterszoon Sweelinck,* setzte alle 150 Psalmen in dieser Art für 4—8 Stimmen. Ihm diente ebenfalls die ursprüngliche Fassung nach Marot und Bourgeois als Grundlage. In unserem 4stimmigen Bsp. erscheint die Melodie in größeren Notenwerten im Sopran und rhythmisch verändert, in allen anderen Stimmen. (GA: hrsg. v. M. Seiffert — Vereeniging voor Noord-Nederl. MG.— 's-Gravenhage und Leipzig 1895ff.)

65. Heinrich Schütz (1585—1672): *"Selig sind die Toten" (SWV 391)*. Diese 6stimmige *Motette* über apokalyptischem Text stammt aus dem Werk *"Geistliche Chormusik"* (1648 in Dresden als Op. 11 gedruckt), einer Sammlung von 29 5—7stimmigen Motetten, in der Schütz bewußt auf den alten Motettenstil zurückgegriffen hat. Im Vorwort klagt Schütz über den Mangel an technischem Können bei den jüngeren Komponisten, die nur im Generalbaßgebrauch ausgebildet werden. Der Kontrapunkt in allen seinen Schwierigkeitsgraden ist demnach für Schütz immer noch unabdingbare Voraussetzung für einen guten Kompositionsstil. Die Motetten der *"Geistlichen Chormusik"* haben alle

deutschen Text und sind ". . . auff Gutachten und Begeh-
ren nicht aber aus Nothwendigkeit . . ." mit einem Generalbaß versehen. (GA: Bd. 8 hrsg. v. Ph. Spitta, Lpz. 1889 u.
Neue Ausgabe, Bd. 5, . . . hrsg. v. d. Schütz-Gesellschaft,
Kassel 1955.)

66. Heinrich Schütz (1585–1672): *Ausschnitt aus der
"Matthäuspassion" (SWV 479).* Luther hat in seine deutsch-
sprachige Liturgie die Passionsgeschichte der Form nach so
übernommen, wie sie sich in der römisch-katholischen Kirche entwickelt hatte: mit Solosängern und Chor. Dergestalt
hat auch *Schütz* seine 3 Passionen, eine *Lukas-*, eine *Johan-
nes-* und eine *Matthäuspassion* komponiert. *Schütz* be-
schränkte sich also auf die menschliche Stimme a) in der
Rezitation der Einzelgestalten: Evangelist, Jesus, Judas,
Petrus etc. und b) im 4stimmigen Satz der Gruppen: Jünger,
Hohepriester, Juden etc. Als *"Introitus"*, quasi als Überschrift steht ein Einleitungschor; als Abschluß, quasi als
"Conclusio" ein Schlußchor. Die Rezitationen sind keines-
wegs stereotype Lektionsformeln, sondern den Worten ent-
sprechender musikalischer Ausdruck; die 4stimmigen Teile
imitatorisch gesetzt. In der Matthäuspassion kommt ein
2stimmiges Stück, die "zween falschen Zeugen" (1. und 2.
Tenor) vor. Das hier abgedruckte Bsp. zeigt den rezitativi-
schen Gesang der Soliloquentes und den mehrstimmigen
der Chöre. Die Objektivität und schlichte Großartigkeit der
Passionen steht im Gegensatz zur dramatischen Erregtheit
des 40 Jahre vorher komponierten 5stimmigen Motetten-
zyklus *"Quid commisisti"* (SWV 56) aus den *"Cantiones
sacrae"*. (Ausgaben s. oben Bd. 1 und 4; Bd. 2 und 8.)

Bspe: HAM I u. II; Schrg.; Mwk 37 u. 10; *Abhgn:* AHdb.;
BHdb.–2, 3, 7 u. 8; KlHdb.–2 u. 3; *MGG u. RL:* →
Haßler, → Osiander, → Resinarius, → Rhaw, → Bach, →
Gerhardt, → Lechner, → Goudimel, → Bourgeois, → Swee-
linck, → Schütz. *MGG u. RL–S:* → Denkmäler, → Choral, →
Choralbearbeitung,→Kontrafaktur, → Lied, → Calvinistische
Musik, → Motette, → Passion, → Historia, → Oratorium.

O. Anfang und Entwicklung der Oper im 17. Jahrhundert.

67. Giulio Caccini (ca. 1550—1618): *"Ard'il mio petto".*
In den Solomadrigalen im Stile der *"seconda pratica"* (= wortbezogene Deklamation im Gegensatz zur *"prima pratica"* = Kontrapunkt) gewann die Pseudo-Monodie und schließlich die Monodie individuellen Audruck. Man komponierte nur noch eine Melodiestimme mit einfacher Instrumentalbegleitung. Einer der ersten, der eine Sammlung in diesem neuen Stil herausgab, war *Giulio Caccini,* Sänger, Harfenist und Komponist im Dienste der *Medici* und Mitglied der *Florentiner Camerata.* Das Vorwort Caccinis zu diesem "Le nuove musiche" betitelten Werk ist ein sehr instruktiver Traktat über die Technik des "modernen" Singens. Obgleich daraus hervorgeht, daß alles Koloraturhafte, das vom Text ablenkt, vermieden werden soll, finden wir bei Caccini bravoureuse Wendungen, wie im vorletzten Takt des abgedruckten Stückes. (Le nuove musiche, Florenz 1601; hrsg. v. Vatielli, Rom 1934) Weil die Monodie in der Entwicklung der Oper eine bedeutende Rolle gespielt hat, wird sie in Bsp. 68 auch in diesem Zusammenhang gezeigt.

68. Jacopo Peri (1561—1633): *Ausschnitt aus "Euridice".*
Eine Art Verbindung von dramatischer Dichtung und Musik, die *Favola in musica,* das *Dramma per musica,* die *Commedia in musica* etc., kann als Vorläufer der Oper bezeichnet werden. Für die Bildung der Gattung Oper wurde der *"Stile recitativo bzw. rappresentativo"* entscheidend, wie er sich in der Monodie der *Florentiner Camerata* herausgebildet hatte; die ausdrucksstarke Rede und die ihr dienende Musik. "Il suono é per l'ultimo" war die Losung. Peris *"Euridice",* an der auch *Caccini* mitgearbeitet hat (u.a. die Partie der Euridice), das erste vollständig erhalten gebliebene Beispiel dieser Art, bestehend aus Soli und Chören, wur

de 1600 bei der Hochzeit von Maria de Medici mit Henri IV von Frankreich aufgeführt. Mit Ausnahme einer kurzen Stelle (die letzten Takte des Beispiels), die von Peri für drei Flöten gesetzt wurde, ist die ganze Partitur nur für Singstimmen und Generalbaß geschrieben. Die ausdrucksstarke Deklamation macht das vergessen. (L. Torchi VI; Faks.-Ausgabe, Mailand 1934.)

69. Claudio Monteverdi (1567—1633): *Ausschnitt aus "Orfeo" 4. Akt.* Einen großen Fortschritt brachten die Opern Cl. Monteverdis. Dieser, nacheinander in Mantua und Venedig tätig, fügte dem von der Camerata praktizierten Opernstil einige entscheidende Momente hinzu: 1. selbständige *Instrumentalstücke;* a) als Einleitung (im Orfeo: "Toccata che si sona avanti il levar de la tela, tre volte con tutti li stromenti"), b) als Ritornelli (s. Bsp.), c) als Sinfoniae (s. Bsp.); 2. *kommentierende Chorpartien u. Tanzchöre.* Aber auch das Überkommene wird farbiger, differenzierter. Der spezielle Charakter einer Szene erhellt aus der Tonlage, der Tonart, dem Rhythmus. Die Instrumente sind teilweise vorgeschrieben. *Orfeo,* eine *"Favola in musica"* (solche Bezeichnungen waren noch geläufig) in 5 Akten mit *Prolog "La Musica"* — Text v. Alessandro Striggio —, wurde 1607 in Mantua aufgeführt, ist also in der frühen Schaffensperiode Monteverdis entstanden. Unser Beispiel beginnt mit einem Chorkommentar, gefolgt von Orfeos tänzerischem Freudengesang, und schließt mit einer Sinfonia als Einleitung zum 5. Akt. (GA. hrsg. v. Malipiero, 1926ff.; L'Orfeo-Faksimile d. Drukkes v. 1615, hrsg. v. D. Stevens, 1972.)

70. Marc'Antonio (eigentlich **Pietro**) **Cesti** (1623—1669): *Arie der Venus "Ah quanto è vero" aus "Il Pomo d'Oro", 2. Akt, 9. Scene.* Der aus Arezzo gebürtige, seit 1649 in Venedig und seit 1666 als Vizekapellmeister in Wien wirkende *Marc'Antonio Cesti* war zweifellos der berühmteste Opernkomponist des 17. Jh. Die 1667 anläßlich der Hochzeit

Kaiser Leopolds von Österreich mit Margarita von Spanien in Wien aufgeführte Festoper *"Il Pomo d'Oro"* (Libretto von Francesco Sbarra), kann als Höhepunkt in seinem Schaffen gewertet werden. Geschlossene Sologesangsformen: *Strophenlied, Arie* (ein-, zwei- und dreiteilig, Ansätze zur Da-Capo-Arie), *Duett, Terzett,* verschiedene Begleitmanieren und *konzertierende Soloinstrumente* sind neu. Der Schwerpunkt ist auf die Musik gerichtet und der Weg für die zukünftige Arien- bzw. Musikoper bereitet. Die Szenen sind in Stimmungskontrasten aufgebaut, gleiches melodisches Material wird wieder aufgegriffen, großräumige Gliederung wird sichtbar. Das Beispiel bringt zwei gleichgebaute Strophen (Reime!) mit verschiedenen Melodien. (Instruktiv sind die von L. Burnacini entworfenen Scenenbilder zu dieser Oper; sie zeigen einen eigenen Orchesterraum und den Maestro della Capella am Cembalo) (hrsg. v. G. Adler in: DTÖ, Bd. 6. u. 9)

71. Jean Baptiste Lully (1632—1687): *Arie: "Belle Hermione"* aus *"Cadmus et Hermione"* (Libretto v. Ph. Quinault). Am Hofe der Maria de Medici hatte die seit ca. 1580 praktizierte Gattung des *"Ballet de cour"* durch italienische Einflüsse (Rinuccini, Peri und Caccini) eine *Wendung zur Oper* erfahren. *Giovanni Battista Lulli* (später in's Französische übersetzt), der als 14jähriger nach Frankreich kam, wuchs als Musiker, Schauspieler und Tänzer in diesen "Umbruch" hinein. Seine *"Tragédie en musique"* ist völlig dem Stil entsprechend, den Ludwig XIV. um sich herum geschaffen hat: ernst und würdevoll, feierlich und sittsam. Lully ist wie Racine und Corneille Repräsentant einer "klassischen" Epoche. *"Cadmus et Hermione"* brachte 1673 dem inzwischen zum Opernunternehmer aufgerückten königlichen Komponisten beachtlichen Erfolg. Das Beispiel zeigt 3 gleichgebaute Strophen, melodisch verschieden gestaltet, und einen gleichbleibenden Refrain: "Belle Hermione, Hélas, Hélas! Puis-je être heureux sans vous?"; auffallend sind der Taktwechsel und die schlichte Syllabik. (GA: hrsg. v. Pruniéres, Paris 1930ff., Les Opéras, I;)

72. Jean Baptiste Lully (1632–1687): *Ouvertüre "Xerxes"*.
Lully hat der *französischen Ouvertüre,* die in ihrer Grundkonzeption (Zweiteiligkeit, Homophonie, punktierter Rhythmus) schon vor ihm bestand, eine endgültige Gestalt gegeben. In der Ouvertüre "Xerxes" — Lully komponierte diese
und einige Ballettmusiken zur Oper "Serse" des Italieners
F. Cavalli für eine Aufführung in Paris im Jahre 1660 —
finden wir die typischen Kennzeichen dieser von ihm entwickelten Gattung. Die 5stimmige Komposition für Streich-
ensemble gliedert sich wie folgt: der erste Teil ist langsam,
feierlich, geradtaktig (wird wiederholt), der zweite Teil ist
schneller im Tempo, ungeradtaktig und hat Fugato-Anlage;
hier schließt unmittelbar wieder ein langsamer geradtaktiger
Teil an (wird wiederholt). Die langsamen Teile haben, wie
im vorliegenden Bsp. häufig punktierten Rhythmus. (hrsg.v.
Pruniéres und Dieudonné in: Maîtres de la musique ancienne
et moderne, Bd. 8, Paris 1931.)

73. Alessandro Scarlatti (1660–1725): *Sinfonia "Olimpia"*.
Ebenso wie Lully nicht als der unmittelbare Schöpfer der
französischen Ouvertüre gelten kann, ist Alessandro Scarlatti nicht als Schöpfer der italienischen anzunehmen. Seit
1600 war der Name Sinfonia immer häufiger für instrumentale Vor-, Zwischen- und Nachspiele (Ritornelli, s.Bsp. 69)
gebräuchlich. Um 1650 ist die 2teilige feierliche Opernsin-
fonia in Venedig ein fester Begriff. Mit dem dreiteiligen
Schema *schnell-langsam-schnell,* das später kennzeichnend
für die *italienische Ouvertüre* werden sollte, experimentier-
ten vor Scarlatti bereits andere Komponisten, z.B. Stradella.
Scarlattis Verdienst ist es, diesen Typus in seinen umfang-
reichen Werk gefestigt zu haben, das gilt nicht nur für
seine Opern-Sinfoniae. In der hier als Bsp. abgedruckten *Sinfonia zur Kammerkantate "Olimpia"* hat der erste schnelle
Teil im 4/4 Takt imitatorische Anlage und erinnert an die
sogenannte *Canzonouvertüre,* der zweite langsame Teil im
3/4 Takt ist mit der Betonung der zweiten Zählzeit eine Art
Sarabande, der letzte Teil im 3/8 Takt führt den punktier-

ten Tanzrhythmus im Allegro fort. Die *"neapolitanischen"* *Sinfoniae* waren schließlich der Ausgangspunkt für die spätere klassische Sinfonie.

74. Henry Purcell (1659–1695): *Rezitativ "Thy hand Belinda"* und *Arie "When I am laid in earth"* aus *"Dido and Aeneas".* Wie in Frankreich das *"ballet de cour"* schon vor Entstehung der Oper, Schauspiel, Instrumentalmusik, Gesang, Tanz und das gesprochene Wort vereinte, so in England das festliche Maskenspiel: die *Masque.* Als man schließlich in der ersten Hälfte des 17. Jh. das italienische Rezitativ für die gesprochenen Teile einführte, entstand die musikalische Masque. So erscheint uns *John Blows "Venus and Adonis"* (1680) und seines Schülers *Purcell Kammeroper "Dido and Aeneas"* (1689). Letzterer verfügte über eine weite Skala musikalischer Ausdrucksmittel. Heitere, frische Tänze und ergreifende Szenen, wie z.B. die am Schluß der oben genannten Oper stehende Klage der Dido, sind mit gleicher Meisterschaft gestaltet. Das vorangehende Rezitativ ist ein *Arioso,* d.h. die melodische Linie neigt zur Arie. Die absteigende Tendenz erscheint hier und im Basso ostinato, dem gleichbleibenden und sich wiederholenden Baßthema der folgenden Arie, als Ausdruck der Klage (Lamentobaß). (Purcell GA: hrsg. v. Cummings Bd. III, London 1889; TP. hrsg. v. Britten 1961, Bo & Ha;)

Bspe: HAMII; Schrg.; Mwk.–5, 31 u. 38; PGfM–X,XII,XIV, XVII u. XVIII; *Abbgn:* AHdb.; BHdb.–3; KlHdb.–6,9 u. 14; *MGG u. RL:* → Caccini, → Peri, → Monteverdi, → Cesti, → Lully, → A. Scarlatti, → Stradella, → Purcell, → Striggio, → Blow. *MGG u. RL–S:* → Denkmäler, → prima pratica, → seconda pratica, → Monodie, → Kontrapunkt, → Camerata, →Oper, → Favola in musica, → Pastorale, → Drama per musica, → Commedia in musica, → Rezitativ, → Arie, → Ritornell, → Sinfonia, → Ballet de cour, → Comédie-ballet, → Ouvertüre, → Neapolitanische Schule, → Masque, → Arioso, → Ostinato, → Lamento.

P. Die Instrumentalmusik im 16. und 17. Jahrhundert

75a. Orlando di Lasso (1532—1594): *"Susanne un jour"* (*Chanson*).

75b. Andrea Gabrieli (ca. 1510—1586): *Bearbeitung für Tasteninstrumente* von O. di Lassos Chanson: "Susanne un jour". Zu den ältesten Quellen instrumentaler Musik gehörten *Bearbeitungen vokaler Stücke* (s. u.a. Beispiel 42). Auch als die Instrumentalmusik Selbständigkeit erlangt hatte, fuhr man mit dieser Praxis fort. Dafür waren vor allem französische Chansons sehr beliebt, weshalb der Name *"Canzoni francese"* für diese Bearbeitungen geläufig wurde. Das vorliegende Beispiel ist in den *"Canzoni alla francese . . . per sonar sopra istromenti da tasti"*, Libro V (Gardano, Venedig 1605) enthalten. Wie das Bsp. zeigt, sind die längeren Notenwerte der Chansonmelodie von *Gabrieli* koloriert bzw. diminuiert worden. In der Chanson ist der Text nur für die Oberstimme ausgeschrieben.

76. Giovanni Gabrieli (1554/57—1612): *"Canzona"*. Bei vielen italienischen Kanzonen, die als Überschrift französische Textincipits haben, sind die vokalen Vorlagen nicht mehr zu finden, andere sind ohne Vorlagenhinweis in die Musikliteratur eingegangen und wieder andere sind primär instrumental konzipierte Kompositionen im *"Canzona-Stil"*. Zu den bedeutendsten Komponisten, die auch solche Stücke schrieben, zählt *G. Gabrieli*. Das hier abgedruckte Beispiel ist in dem Sammelwerk: *"Canzoni per sonare con ogni sorte di stromenti a quattro, cinque e otto con il suo Basso generale per l'organo, novamente raccolte de diversi eccellentissimi Musici . . ."* Libro I (Venedig, 1608) enthalten.

Es handelt sich um ein bescheidenes Frühwerk (ca. 1580), das in seiner Anlage (imitat.-homophon, 4/4–3/2 Takt) abwechslungsreich gestaltet ist. Die hier ineinanderübergehenden Teile münden später in die einzelnen Sätze der *Sonata da Chiesa* (Bsp. 88 und 89). Der Generalbaß ist nichts anderes als ein *"Basso seguente"*, d.h. die tiefste Stimme hat jeweils Generalbaßfunktion. ("Canzoni per sonar . . ." hrsg. v. Einstein, Mainz 1930; GA: hrsg. v. Arnold in CMM XII, Rom 1957.)

77. William Byrd (1543–1623): *"The Bells"*. Bei den um 1600 in England lebenden *Virginalisten* (virga = Stab, Docke; Virginal = rechteckiges Kielklavier) zeigt sich deutlich der Unterschied zwischen Musik für Tasteninstrumente mit Saiten und solchen mit Pfeifen. Die typische Klaviertechnik, die sie entwickelten, wirkt noch in den großangelegten Variationswerken Beethovens weiter. Die für das *Virginal* geschriebene Musik umfaßt *Variationen* über Volkslieder und Tänze, aber auch höchst originelle *Genrestücke* meist programmatischen Inhalts. Von besonderer Art sind die sogenannten Ostinatovariationen, d.h. Variationen über einem *Ground.* Ein Ground ist ein sich immer wiederholendes kurzes (Baß)-Thema, das (s. auch Basso ostinato Bsp. 74) dadurch variiert wird, daß dazu immer neue Stimmenkomplexe erscheinen. *"The Bells"* (die Glocken) von *Byrd,* ist eine der bekanntesten Kompositionen über einem "Ground", dem Intervall C-D, das an das Läuten von Glokken erinnert. Die schnellen Läufe, die parallelen Terzen und die vielen Verzierungen in den verschiedenen Stimmen sind speziell für die "Möglichkeiten" des Virginals geschrieben worden. Die wichtigste Sammlung mit Werken von Virginalisten (darunter auch einige Stücke von Sweelinck) ist das *Fitzwilliam Virginalbook.* (Ausgabe: J. A. Fuller-Maitland u. W. Barclay Squire, Lpz. 1894ff.; ND: USA 1947.)

78. Jacques Champion de Chambonnières (1601/11–1672): *Allemande "La Rare".* Im Gegensatz zu der größtenteils an Volksliedern und Tänzen orientierten Musik der Virginalisten (Bsp. 77), hat die *Musik der französischen Clavecinisten* mehr höfischen Charakter. Unter ihnen ist *Jacques Champion de Chambonnières* einer der Bedeutendsten. Die gemeinsame Ausgangsbasis, die anfänglich Orgel- und Klaviermusik gleichsetzte, wurde in Frankreich schon früh aufgegeben und es entstand eine für beide Instrumente spezifische Musik, die sowohl die unterschiedliche Spieltechnik als auch die unterschiedliche Klangsphäre berücksichtigte. Die Schreibweise der Clavecinisten ist im allgemeinen homophon, zuweilen von kontrapunktierten Details unterbrochen. In *Chambonnières* Werken ist der Einfluß der alten Lautenmusik noch deutlich und dennoch sind die vielen von ihm geschriebenen Tänze typische Cembalo-stücke. Hier ist der Titel noch mit einer gebräuchlichen Tanzform (Allemande) verbunden, während später das Genrestück dominiert. (GA: hrsg. v. P. Brunold u. A. Tessier, Paris 1925.)

79. Paul Peuerl (Bäurl, Bäwerl, 1570/80—nach 1625): *"Variationssuite"*. Aus den verschiedenen vorangegangenen Beispielen ist die Relevanz der Variation als Kompositionstechnik deutlich geworden. In fast allen musikalischen Formen können wir ihr begegnen; so z. B. auch in der aus einer Folge von Tänzen zusammengesetzten Suite, wie sie *P. Peuerl* als Erster im deutsch-österreichischen Raum komponiert hat. Dasselbe melodische Material, d. h. ein gemeinsames Thema ist die Grundlage für sämtliche *"Tanzvariationen"*. Im vorliegenden Beispiel ist die gleichbleibende Tonart ein weiterer bindender Faktor und trotzdem bleibt das Charakteristische eines jeden Tanzes in dieser zyklischen Form gewahrt. Das Thema steht in seiner ursprünglichen Gestalt in der Mitte der Suite als *Dantz* (später Allemande). Der symmetrische Bau der späteren deutschen Klaviersuite ist hier vorgeformt. (Werke: hrsg. v. K. Geiringer, DTÖ, Bd. 70.)

80. Claudio Merulo (eigentlich Merlotti, 1533—1604): *Orgeltoccata: "Toccata ottavo tono"* (toccare = schlagen). Der Begriff *Toccata* ist uns schon als Bezeichnung für eine fanfarenartige Eröffnungsmusik in Monteverdis "Orfeo" (Bsp. 69) begegnet. Die *"Orgeltoccata"* hatte ihren Ursprung als Intonation im Gottesdienst (z.B. die Intonationi d'organo v. A. Gabrieli, Venedig 1593); sie wurde in der Regel improvisiert und bestand aus Läufen und Akkorden. Bei *Cl. Merulo,* einem bedeutenden Organisten an San Marco in Venedig, entwickelte sich diese Grundkonzeption durch Einfügung imitatorischer Teile zu einer großartig angelegten festen Form (2 Bücher, 1598 und 1604). Diruta, ein Schüler Merulos, beschreibt in seinem "Transilvano" (1. Teil) die Wirkung dieser virtuosen Spielstücke. Die klare Gliederung ist eine Vorstufe zur späteren Form Toccata (bzw. Praeludium) und Fuge (s.B. 84). (Ausgabe der Toccaten: S. Dalla Libera, 3 Bde., Mailand 1959.)

81. Girolamo Frescobaldi (1583—1643): *"Toccata sexti toni".* Als Schüler Luzzasco Luzzaschis hatte auch *Frescobaldi* seinen Ausgangspunkt in der Venezianischen Schule. Er entwickelte später, als Organist an San Pietro in Rom, einen sehr persönlichen Stil, der besonders in seinen Toccaten auffällt. Unter dem Einfluß Sweelincks zeigt sich bei Frescobaldi eine größere Einheit im Aufbau und der Verzicht auf die bei Merulo übliche Mischung virtuoser und imitatorischer Teile (Bsp. 80). Der den Toccaten eigene *improvisatorische Charakter* tritt stärker hervor und der Einfluß der Virginalisten ist in ihnen zu erkennen (Terzengänge, Vielgliedrigkeit). *Frescobaldi* schrieb seine Toccaten zu verschiedenen Zwecken: als Einleitungen für den kirchlichen Gebrauch (Toccata per L'elevation) und zu diversen anderen Kompositionen, aber auch als selbständige Stücke. In diesen oft sehr unterschiedlichen Werken zeigt sich die Vielseitigkeit und Neuartigkeit seiner Satzkunst. (Orgel- und Klavierwerke: 5 Bde., hrsg. v. P. Pidoux, Kassel 1950ff.)

82. Nicolas Lebègue (1630–1702): *"Prelude et Fugue sur le Kyrie Cunctipotens"*. Außer für das Instrument dem sie ihren Namen verdanken (Bsp. 78), komponierten die Clavecinisten auch Werke für die Orgel. Einer der wichtigsten Autoren dieser Art war der Organist von Saint Merry in Paris, *Nicolas Lebègue*. In seinen Orgelwerken begegnen uns Stükke sehr virtuoser Art (*1. Buch* "pour les sçavans" = für Erfahrene, Geschickte) und Stücke ruhiger, feierlicher Art (*2. Buch* "pour ceux qui n'ont qu'une science médiocre" = für mittelmäßige Könner). Aus Buch 2 — Paraphrasen über Meßgesänge und Magnificats — ist das hier abgedruckte Beispiel entnommen. Man vergleiche das Baßthema des Praeludiums und das etwas abgewandelte Fugenthema mit dem gregorianischen Kyrie in Bsp. 3 und 4. (Orgelwerke: hrsg. v. A. Guilmant und A. Pirro, in Archives des Maîtres de l' orgue IX, Mainz 1909).

83. Jan Pieterszoon Sweelinck (1562–1621): *"Chromatische Fantasie"*. Im Gegensatz zur späteren Bedeutung bezeichnete der Name Fantasie im 16. und 17. Jh. *eine imitatorische Form*. Bei dem aus Deventer stammenden Komponisten *Sweelinck* wurde sie ein wichtiger Vorläufer der Fuge. Wie das Ricercar aus verschiedenen Teilen besteht, die jeweils eigene durchimitierte Themen haben, so bestehen auch die Fantasien Sweelincks aus einer Folge imitierender Teile. Bemerkenswert ist bei diesen jedoch die *Einheit der Thematik*, d.h. die Themen aller Teile sind (vergrößert, verkleinert, rhythmisch und tonartlich abgewandelt) vom Hauptthema abgeleitet und auf imitatorisch neue Weise verarbeitet. Diese Kontrapunkttechnik ist an sich nichts Neues, sie war schon den Komponisten der Niederländischen Schule bekannt (Bsp. 31 und 35); Sweelinck verbindet sie aber mit den ihm wohlbekannten "klavieristisch" erprobten Möglichkeiten englischer Virginalisten (Bsp. 77). In unserem Beispiel wird das (vorwiegend von D bzw. A aus) chromatisch absteigende Motiv meisterhaft durch sämtliche Stimmen geführt. (Werke s. Bsp. 64).

84. Dietrich Buxtehude (1637—1707): *"Toccata und Fuge"*. Aus der von Merulo entwickelten Toccata mit eingefügten "Ricercarteilen" (Bsp. 80) bildete sich eine *zweiteilige Form*, die auf eine (homophone) in mehr oder minder virtuosem Stil komponierte Toccata eine (polyphone) Fuge folgen ließ. Häufig bestand — wie in unserem Bsp. — zwischen Toccata und Fuge motivische Verwandtschaft (man vergleiche das Fugenthema mit Takt 15, 18 etc. der Toccata). Die Kompositionen des norddeutschen Organisten *Buxtehude* sind gewissermaßen ein Bindeglied zwischen der Toccata älteren Stils mit eingefügten Ricercare und der Toccata mit Fuge. Die lockeren Spielfiguren der Toccata sind noch nach italienischem Geschmack, während die strenge Anlage der Fuge Sweelinck'sche Prägung hat. Von hier aus führt ein direkter Weg zu Johann Sebastian Bach. (Orgelwerke: hrsg. v. J. Hedar, Stockholm 1950.)

85. Hans Newsidler (1508—1563): *"Kunt ich schön reines werden Weyb"*. Die Laute war im Deutschland des 16. Jh. ein sehr verbreitetes Hausinstrument. Die meistens polyphonen Werken entstammenden *Lautentranskriptionen* wurden in den sogenannten *Tabulaturen* auf eine spezielle Weise notiert. Es handelt sich dabei um eine Griffschrift, die eine Komposition in Buchstaben, Ziffern und Rhythmuszeichen ausdrückt. Neben Bearbeitungen weltlicher und geistlicher Vokalmusik (s. Bsp.) für Laute, gibt es auch eigene Lautenkompositionen, vor allem Tänze und Praeambeln. Die im allgemeinen einfache Struktur der deutschen Lautentabulaturen läßt auf breit gestreute Verwendung schließen. *Hans Newsidler,* Lautenist und Verfasser von Lehrwerken f. d. Laute, hat *3. Tabulaturbücher* (gedruckt zw. 1540 u. 1544 in Nürnberg) hinterlassen; daraus ist das in Notenschrift übertragene 3stimmige Beispiel entnommen (s. zu Orgeltabulatur, Bsp. 42). (Werke: hrsg. v. A. Koczirz in DTÖ, Bd. 37.)

86. Johann Jakob Froberger (1616—1667): *Klaviersuite in h-moll. Joh. Jakob Froberger,* Schüler Frescobaldis, Hoforganist in Wien, kann als der Begründer der *Klaviersuite* angesehen werden. Wie bei Paul Peuerl (Bsp. 79) finden wir auch in seinen Suiten nur eine geringe Anzahl von Tänzen: *Allemande-Courante-Sarabande,* dazu später die *Gigue.* Froberger selbst hat diese Reihenfolge mit der Gigue als Schluß nur selten gebraucht, sie ist erst nach seinem Tode generell Usus geworden. In seinen Suiten steht die Gigue meistens an zweiter Stelle und die Sarabande am Schluß (eigenmächtige Umstellung in DTÖ 13, hrsg. von Guido Adler). In verschiedenen Suiten kann eine thematische Verwandtschaft der Tänze festgestellt werden; auffallend in unserem Beispiel der Anfang der Allemande und Courante und der Schluß der Sarabande. (Werke: hrsg. v. G. Adler in DTÖ, Bd. 8, 13 und 21.)

87. Giovanni Battista Fontana (+ 1630): *Sonate für Violine und Basso continuo.* Fontana, Violinvirtuose in Brescia und Venedig, hinterließ ein einziges Werk: *"Sonate a 1,2,3 per il violino, o cornetto . . . o simili altro istromento",* das 10 Jahre nach seinem Tode in Venedig gedruckt wurde. Es sind die ersten Versuche, eine einzelne Instrumentalstimme über einem Basso continuo zu gestalten. Die Sonaten Fontanas zeigen eine speziell auf die Violine ausgerichtete Technik mit vielen Läufen, ausgeschriebenen Trillern (Takt 22) etc. Das hier abgedruckte Bsp. ist deutlich gegliedert, obgleich die Abschnitte nahtlos ineinander übergehen. Der vorletzte Abschnitt wird allein vom *Basso continuo* bestritten; dieser zeigt eine selbständige melodische Linie, ist also nicht nur harmonische Stütze. (Ausgabe vereinzelter Werke in Torchi VII; Wasielewski, s.u. etc.)

88. Giovanni Legrenzi (1626—1690): *Triosonate "La Rosetta" aus Op. 8.* Die vielen kurzen ineinandergehenden Abschnitte der *Canzon da sonar* (Bsp. 76) machen im 17.

Jahrhundert vier oder fünf größeren Partien Platz. (Bsp. 87). Diese Entwicklung zeigt sich am deutlichsten in den *Solo- und Triosonaten*. Bei *Legrenzi* ist die "Satz"-Folge z. T. bereits mit eigener Tempobezeichnung angegeben. Der 1. Teil unseres Bsp.'s im Sizilianorhythmus ist noch immer im Fugato geschrieben. Die Baßstimme nimmt hier sowie in den anderen Sätzen an dem thematischen Verlauf teil, beschränkt sich also nicht nur auf harmonische Unterstützung. Öfters greift der Komponist im letzten Satz auf Thema und Anlage des 1. Satzes zurück. Für unser Bsp. trifft das nicht zu; hier ist der letzte Abschnitt dem Adagio nachgebildet. Auch stehen die verschiedenen Sätze bei ihm häufig in Terzverwandtschaft (1. Satz in d, Einsatz 2. Satz in B). Die instrumentale Anlage der *Triosonate* dieser Zeit zeigt Eigenständigkeit. Die enge Beziehung der Canzon da sonar zu vokalen Vorläufern ist überwunden. Es sei nachdrücklich darauf hingewiesen, daß Triosonate nicht eine Form, sondern nur eine Besetzung bezeichnet. (Legrenzis Trioson.: hrsg. v. E. Schenk, Österr. Bundesverlag Wien; J. W. Wasielewski: Instrumentalsätze . . . Bonn 1874, ND: Anthologie, N.Y. 1974.)

89. Arcangelo Corelli (1653−1713): *Sonate für zwei Violinen und Basso continuo, Op. 3, Nr. 9.* Voll entwickelt erscheint die *Triosonate* in den Werken Corellis. Die vier Sätze: *langsam-schnell-langsam-schnell* sind deutlich herausgebildet. Der erste schnelle Satz ist immer, der letzte häufig fugiert. Auch der erste langsame Satz ist meist imitatorisch angelegt. Wenn die Sätze einer Sonate Tanzcharakter haben, spricht man generell von einer *Sonata da camera,* andernfalls von einer *Sonata da chiesa* (Bspe. 87,88,89). Es gibt auch Mischformen, so z.B. einige Violinsonaten Corellis. Die Sätze stehen meistens in derselben Tonart, in unserem Bsp. in f-moll (v. Corelli nur mit zwei Vorzeichen am Balken notiert). Der bis zur Quarte chromatisch absteigende Baß des 1. Satzes (vgl. Bsp. 74) und die Sequenzbildung, d.h. die Wiederholung eines Motivs auf verschiedenen Tonstufen im 3. Satz, kommen in der *Barockmusik* häufig vor. *Corelli,* der keine vokalen Werke geschrieben hat (eine Ausnahme für einen Italiener), übertrug das Kantable in seine in seine instrumentale Musik. (Corelli, Triosonaten: hrsg. v. W. Woehl, Kassel 1960.)

90. Giuseppe Torelli (1658–1709): *Concerto grosso Op.8 Nr. 5, 4. Satz.* Torellis Op. 8 umfaßt 6 Concerti grossi und ebensoviele Violinkonzerte; die einen sind bezeichnet als "Concerti con due violini che concertino soli", die andern als "Concerti con un violino che concertato solo". Der hier abgedruckte letzte Satz des 5. Konzertes aus Opus 8 *für 2 Violinen, Viola und Baß* hat in den Tuttiritornellen ein fugiert behandeltes, rhythmisch markantes Thema. Dazwischen bewegen sich — mitunter auch imitatorisch oder in Terzenparallelen — die Solovioline in virtuoser Figuration. Diese Unterscheidung zwischen *Tutti und Soli* ist kennzeichnend für Torellis aus der Praxis erwachsenem *Concerto-Stil.* Seine Thematik ist diatonisch, dreiklangsbetont; Modulationen zur Dominante sind stets mittels Zwischendominante bekräftigt. (Ausgabe des Concertos: J. W. Wasielewski, Instrumentalsätze . . . Bonn 1874, ND: Anthology NY. 1974)

91. Johannes Pezel (1630–1694): *Intrada* aus "Fünfstimmigte blasende Music, bestehend in: Intraden, Allemanden, Balleten . . . als zweyen Cornetten und dreyen Trombonen" Ffm. 1685. Turmbläser und Stadtpfeifer haben seit dem 14. Jh. allenthalben in Deutschland gewirkt. Blasmusik war auch zum Zwecke fürstlicher und kirchlicher Repräsentation für Festlichkeiten und Umzüge wegen des größeren Klangvolumens sehr gefragt. Um 1500 sind Bläserchöre im Motetten-, Lied- und Tanz-Repertoire bedeutender Komponisten zu finden. *Pezel*, Ratsmusikus und Stadtpfeifer in Leipzig und Bautzen, hat in seinen *Kompositionen für Bläser* eine neue anspruchsvolle Satzkunst entwickelt; Imitation, Motivvielfalt, kontrastierende Anlage, zeichnen seine

Stücke aus und geben ihnen hohen künstlerischen Wert. (Ausgabe: A. Schering, in DDT, Bd. 63 u. A. Müller, Verlag der Sächsischen Posaunenmission, Dresden.)

92a. Johann Pachelbel (1653—1706): *"Gelobet seiest du Jesu Christ"*.

92b. Dietrich Buxtehude (1637—1707): *"Gelobet seiest du Jesu Christ"*.

92c. Johann Sebastian Bach (1685—1750): *"Gelobet seiest du Jesu Christ"* (a. d. Orgel-Büchlein). In diesen Beispielen werden *drei verschiedene Orgelbearbeitungen derselben Choralmelodie* verdeutlicht. Bei *Pachelbel* (a) geht der eigentlichen Intonation ein kurzes Motiv in Verkleinerung voraus, während die Choralmelodie als langmensurierter Cantus firmus in der Oberstimme intakt bleibt. Bei *Buxtehude* (b) und *Bach* (c) ist die Choralmelodie aufgelöst und von kleinen Notenwerten umspielt, bei Bach das Satzgefüge ausgewogen, die Form vergeistigt. In der Kirchenmusik des protestantischen Deutschlands spielt die *Choralbearbeitung* eine bedeutende Rolle. Einflüsse Sweelincks und seiner Schüler sind wirksam geworden. (Pachelbel-Orgelchoräle: hrsg. v. Matthaei, Kassel 1929; Buxtehude s. Bsp. 84; Neue Bach-Ausg. Kassel 1954ff.)

Bspe: HAM I u. II; Schrg.; Mwk.—1, 7, 11, 17, 19, 33, 23, 26, 42, 43, 45 u. 46; *Abhgn:* AHdb.; BHdb.—3; KlHdb. —14; *MGG u. RL:* → Lassus, → A. Gabrieli, → G. Gabrieli, → Byrd, → Champion bzw. Chambonnières, → Peuerl, → Merulo, → Frescobaldi, → Lebègue, → Sweelinck, → Buxtehude, → Newsidler, → Froberger, → Fontana, → Legrenzi, → Corelli, → Torelli, → Pezel, → Pachelbel, → Bach, → Luzzaschi, → Diruta. *MGG u. RL—S:* → Denkmäler, → Bearbeitung, → Kanzone, → Basso seguente, → Virginal, → Klaviermusik, → Variation, → Charakterstück, → Ground, → Allemande, → Courante, → Sarabande, → Gigue, → Suite, →

Tanz, → Lautenmusik, → Lautentabulatur, → Orgelmusik, → Praembulum, → Toccata, → Praeludium, → Fuge, → Para - phrase, → Fantasie, → Kontrapunkt, → Violinmusik, → Basso continuo, → Triosonate, → Sonatensatzform, → Concerto, → Concerto grosso, → Tutti, → Ripieno, → Intrada, → Blasmusik, → Choralbearbeitung, → Kirchenmusik.

Q. Oratorium u. Kantate im 17. Jh.

93. Giacomo Carissimi (1605–1674): *Ausschnitt aus "Historia di Ezechia"*. Das Oratorium ist eine nichtliturgische religiöse Kompositionsgattung, die eine biblische Vorlage benützt und musikalisch aus Rezitativen, Solo- u. Ensembleteilen sowie Chören besteht. Wichtig ist die Anwesenheit eines "Testo", eines Erzählers. Dieser mußte nicht unbedingt von einer Solostimme gesungen werden; mitunter übertrug der Komponist diese Aufgabe zwei Solostimmen oder dem ganzen Chor. Übereinstimmung mit der Oper zeigt sich in der oft dramatischen Anlage der Oratorien; außerdem manifestiert sich auch hier hauptsächlich die Monodie, während das Instrumentalensemble oft nur aus zwei Violinen und Basos continuo besteht. Im 17. Jh. sind zwei Arten von Oratorien zu unterscheiden: das *"Oratorio volgare"* in italienischer und das *"Oratorio latino"* in lateinischer Sprache. Die Oratorien *Carissimis*, des Kapellmeisters an San Apollinare in Rom, gehört zu den Letzteren. Außer Oratorien wie: "Jephta", "Jonas", "Judicium Salomonis" etc. komponierte Carissimi auch einige "Historien", so die *"Historia di Ezechia"*, die Geschichte des Propheten Hesekiel. Diese alttestamentarischen Historien wurden während der Fastenzeit an den Freitagnachmittagen im "Oratorio del Crocefisso" zu Gehör gebracht. Es waren Werke von außerordentlicher Wirkung, die auch im Ausland Verbreitung fanden und schon von Zeitgenossen mit Anerkennung

u. Bewunderung erwähnt wurden. In unserem Bsp. folgt auf den Sologesang des Ezechiel die Bekräftigung der Gedanken durch den Chor bis zur letzten Steigerung des "in aeternum". (hrsg. v. Instit. ital. per la Storia della Musica, Rom 1951)

94. Dietrich Buxtehude (1637–1707): *Ausschnitt aus der Kantate "Alles was ihr tut mit Worten oder mit Werken".* Die Hauptgattung der deutschen evangelischen Kirchenmusik ist die *Kantate.* Sie begegnet uns in verschiedener Gestalt; in bezug auf die Besetzung kann man von Solo-, Choroder gemischten Kantaten sprechen. Anfänglich wurden die Texte der Bibel entnommen, später religiöse Texte frei gestaltet und in Form von Rezitativ, Arie, Duett und Chor in Musik gesetzt. Inhaltlich bezogen sich die Kantaten auf die Sonn- und Festtagsgedanken des Kirchenjahres. Der größte Kantatenkomponist evangelischer Kirchenmusik vor Bach war der in Lübeck wirkende *Dietrich Buxtehude.* Er schrieb keine Rezitative im eigentlichen Sinne, sondern Ariosi (Bsp. 74). Seine Kantaten sind im dramatischen Ausdruck denen Carissimis ähnlich und schließlich wegweisend für Bach. Die Kantate *"Alles was ihr tut"* ist für *Baßsolo, 4st. Chor und 5st. Streicherensemble* verfaßt. Der Text des 1. Chores (hier abgedruckt) ist dem Paulusbrief an die Kolosser 3:17 entnommen. (hrsg. v. M. Seiffert/Moser in: DDT, Bd. 14.)

95. Henry Purcell (1659–1695): *"I will love Thee, o Lord".* Was für die römisch-katholische Kirche die Motette, was für die evangelische Kirche die Kantate war, das war für die anglikanische Kirche das *Anthem.* Der Text ist meistens der Bibel, namentlich den Psalmen entnommen u. immer in englischer Sprache. In unserem Bsp. (Psalm 16; 1–6 u. 16–18) handelt es sich um ein sogenanntes "Verse"-Anthem, d.h. Solo/Verse-Partien und Chor-Partien wechseln einander ab. Um 1660 war der ital. Rezitativstil auch in England bekannt geworden u. allgemein verbreitet (Bsp. 74). Der Sologesang mit Generalbaßbegleitung u. das instrumentale Zwischenspiel nach ital. Vorbild erreichen mit Purcells Kantaten ihren Höhepunkt. (GA, hrsg. v. d. Purcell-Society, London 1878 ff.)

96. Heinrich Schütz (1585—1672): *Ausschnitt aus der Auferstehungshistorie (SWV 50).* Im Gegensatz zu den ohne Instrumentalbegleitung komponierten Passionen (Bsp. 65) hat Schütz bei seinen zur Gattung Oratorium gehörenden Werken Instrumente verwendet. Der Text zur *"Historia der fröblichen und siegreichen Aufferstehung unsers einigen Erlösers und Seligmachers Jesu Christi"* ist eine Kompilation aus den 4 Evangelien und stammt von Johann Bugenhagen. Schütz verwendet zur musikalischen Gestaltung sowohl alte als auch neue Stilelemente. Zu den einen gehören die psalmodische Rezitation des Evangelisten und der mehrstimmige Satz der Soliloquentes (in unserem Bsp. Maria Magdalena, komp. f. 2 Soprane), zu den anderen die Unterstützung der Vokalstimme mittels Basso continuo, die Verwendung eines Streicherensembles, sorgfältige Wortausdeutung und Chromatismen. Interessant ist ein Vergleich mit der Auferstehungshistorie Antonio Scandellos: "Österliche Freude der . . . Auferstehung . . ." von 1568 (hrsg. in : Hdb.d. . . evang.KM, I/3 u. 1/4, 1937; Sonderdruck, Göttingen 1959), der textliche und musikalische Übereinstimmungen aufdeckt. (Schütz-GA.I, 1—46; Eulenburg TP;)

Bspe: HAM II; Schrg.; Mwk.—32 u. 37; *Abhgn:* AHdb.; BHdb.—3 u. 7; KlHdb.—3 u. 5; *MGG u. RL:* → Carissimi, → Buxtehude,→Purcell,→Schütz, → Scandello; *MGG u. RL—S:* → Historia, → Oratorium, → Kantate, → Anthem, → Rezitativ, → Arie, → Arioso, → Generalbaß;

ABKÜRZUNGSVERZEICHNIS

Abhg(n).	Abhandlung(en)
Abt.	Abteilung
AfMw	Archiv für Musikwissenschaft 1918– 1927
AH	Analecta Hymnica 1886–1922
AHdb.	Adler, Handbuch der Musikgeschichte 1924–
Anon.	Anonymus
Ausg.	Ausgabe
B. c.	Basso continuo
Bd(e).	Band, Bände
BHdb.	Bücken, Handbuch der Musikwissen- schaft 1927–
Bibl.	Bibliothek, Biblioteca, Bibliothèque
Bln.	Berlin
BN.	Bibliothèque Nationale
Bo & Ha	Verlag Boosey & Hawkes, London
Bsp(e).	Beispiel(e)
BWV	Bach-Werkverzeichnis 1950
bzw.	beziehungsweise
ca.	circa
CMM	Corpus Mensurabilis Musicae 1947–
DDT	Denkmäler deutscher Tonkunst 1892–
d.h.	das heißt
DTB	Denkmäler der Tonkunst in Bayern 1900–
DTÖ	Denkmäler der Tonkunst in Österreich 1894–
etc.	etcetera (und das übrige/und so weiter)
ev., evang.	evangelisch

Faks.	Faksimile
f.d.	für den (die, das)
ff.	folgende
fr.frc./frz.	français/französisch
GA	Gesamtausgabe
Griech./griech.	Griechenland/griechisch
GMSt	Gennrich, Musikwissenschaftliche Studienbibliothek 1946—
GSM	Gennrich, Summa musicae medii aevi 1957—
HAM I/II	Historical Anthology of Music (Davison-Apel) 2 Bde 1946—
Hbg.	Hamburg
Hdb.	Handbuch
hrsg.	herausgegeben
Hs(s).	Handschrift, Handschriften
imitat.	imitatorisch
ital.	italienisch
Jh.	Jahrhundert
Krit./krit.	Kritik/kritisch(e)
KlHdb.	Kleine Handbücher der MG nach Gattungen 1905—
KM	Kirchenmusik
Komp./komp.	Komposition/komponiert
LB	Liederbuch
lit.	liturgisch
Lit.	Literatur
Lpz.	Leipzig
MA./ma.	Mittelalter/mittelalterlich
Mel.	Melodie
MfM	Monatshefte für Musikgeschichte 1869—1905
MG	Musikgeschichte
MGG	Die Musik in Geschichte und Gegenwart (Enzyklopädie) 1949—
Mon.	Monumenta
Ms./Mss.	Manuskript/Manuskripte

Mus.Ms.	Musik-Manuskript
Mwk	Das Musikwerk; Eine Beispielsammlung zur MG. 1951—
ND	Nachdruck
NY	New York
österr.	österreichisch
o.J.	ohne Jahr
Op.	Opus
PäM	Publikationen älterer Musik 1926—1940
PGfM	Publikationen älterer pratischer und theoretischer Musikwerke (hrsg.v.d. Gesellschaft f. Musikforschung) 1875—1905
polyph.	polyphon
PoMM	Publications of Medieval Music Mss. 1957—
RILM	Répertoire international de litterature musicale 1967—
RL	Riemann-Musiklexikon Bd. 1 u. 2 (Personenteil) 1959,1961
RL—S	Riemann-Musiklexikon Bd. 3 (Sachteil) 1967
S.	Seite
s.	siehe
s.o.	siehe oben
SchradePM	Schrade, Polyphonic music of the fourteenth century 1956—
Schrg.	Schering, Geschichte der Musik in Beispielen 1931
SmwA	Sammlung musikwissenschaftlicher Abhandlungen (K. Nef) 1930—
Sp.	Spalte
st.(3st.)	stimmig (dreistimmig)
StB	Staatsbibliothek
SWV	Schütz-Werkverzeichnis 1960
Torchi	Torchi, L'Arte musicale in Italia 1897—

TP	Taschenpartitur
u.	und
u.a.	unter anderen
v.	von
veröffentl.	veröffentlicht
WHdb.	Wagner-Handbuch der Choralwissen-schaft (=Einführung in die Gregoria-nischen Melodien) 1895–
z.B.	zum Beispiel
z.T.	zum Teil

REGISTER

Die Seitenzahl vor dem Schrägstrich = Hinweis auf das Beispiel; die Seitenzahl nach dem Schrägstrich = Hinweis auf die Erläuterung. In kursiver Schrift stehen alle Textanfänge.